HISTOIRE DE TA BÊTISE

DU MÊME AUTEUR :

Jouer juste, Verticales, 2003.

Dans la diagonale, Verticales, 2005.

Un démocrate : Mick Jagger 1960-1969, Naïve, 2005.

Entre les murs, Verticales, 2006.

Fin de l'histoire, Verticales, 2007.

Antimanuel de Litterature, Bréal, 2008.

Vers la douceur, Verticales, 2009.

Parce que ça nous plaît : L'invention de la jeunesse
(avec Joy Sorman), Larousse, 2010.

Tu seras un écrivain mon fils, Bréal, 2011.

La Blessure, la vraie, Verticales, 2011.

Au début, Alma, 2012.

Deux singes ou ma vie politique, Verticales, 2013.

D'âne à zèbre, Grasset, 2014.

La critique de cinéma à l'épreuve d'Internet,
L'Entretemps, 2014.

La Politesse, Verticales, 2015.

L'Ancien Régime. La Première Femme à l'Académie Française,
Incipit, 2016.

Molécules, Verticales, 2016.

Une certaine inquiétude (correspondance avec Sean Rose),
Albin Michel, 2018.

En guerre, Verticales, 2018.

François Bégaudeau

Histoire de ta bêtise

Pauvert

Couverture : Nuit de Chine

ISBN : 978-2-7202-1562-9

Souvent pendant la campagne je t'ai trouvé bête. Je t'écoutais, et je pensais : comme c'est bête. Le penser n'était pas très correct de ma part. Pas très courtois et passablement hautain. Mais peut-on jamais réfréner une pensée ? Dépréciative ou non, une pensée me traverse comme un courant d'air. D'elle je suis aussi innocent que toi de tes mots, qui par ta bouche ne font que passer. Tu n'en es pas l'auteur. Tu es parlé, tu es pensé. À travers toi parle et pense une condition, une position sociale, une situation, dont il faudrait raconter l'histoire.

Il faudra travailler à une généalogie de ta bêtise.

Ce travail t'exonérera. Si tu es parlé par ta condition, par ta position, tu n'y es pour rien. Je ne viens pas te juger mais te nommer. Te prendre dans mes phrases et peut-être, à la fin, dans mes bras.

Les bavardages passés par toi au cours du printemps 2017, j'aurais pu faire en sorte qu'ils ne me parviennent pas. J'aurais pu radicaliser mes techniques d'évitement de cette présidentielle à somme nulle, tout inédite que l'aient prétendue tes éditorialistes en surchauffe. Il m'était loisible d'ignorer les débats télévisés ; d'obturer les canaux par lesquels la monotone polyphonie pénétrait mon appartement ; de sectionner les câbles, de couper le son. Ceux qui se prétendent exaspérés par les séquences électorales s'y déroberaient sans peine s'ils le souhaitaient vraiment, si leur exaspération était sincère, si la critique de la campagne n'était pas le cœur de la campagne, si leur fière incrédulité devant ce cirque ne s'adossait à une indéfectible croyance.

En ces périodes, la seule échappatoire est l'indifférence. Elle est possible. Un roman y suffit. Un roman me fait ma journée. Le lire, et puis se coucher.

Hélas on ne vit pas d'amour et de livres. Hélas, entre lecture et coucher, la société parfois me tirait au-dehors et je tombais sur toi, souvent car tu es légion dans Paris, et c'est de cela qu'alors tu parlais, c'est ce bruit-là que tu tenais à redoubler. La campagne tu en avais plein la bouche, comme des attentats deux ans plus tôt, comme des violences faites aux femmes à l'heure où j'engage cette apostrophe.

Un soir de mars 2017, à une table de gens de théâtre, il ne fut pas question de théâtre mais de cette élection qui te captivait, t'excitait. Tu en avais les joues rouges et le postillon généreux.

Et d'abord tu t'honorais d'aller voter. Voter était postulé, voter n'était pas négociable. Tu le claironnais comme un capitaine jure de couler avec son navire.

Tu voteras jusqu'à la lie.

Tu es le sujet idéal de la monarchie républicaine. L'élection par quoi le citoyen délègue et donc abdique sa souveraineté est le pic de jouissance de ta libido citoyenne. Sur ce point comme sur le reste nous sommes à fronts renversés. Tu tiens l'élection pour le lieu exclusif de la politique, je tiens que la politique a lieu partout sauf là. Je sors du jeu au moment où tu y entres. Nous nous croisons. En mars 2017 nous nous sommes juste croisés. Juste assez pour que j'attrape quelques phrases de toi, et qu'à cette table de gens de théâtre j'en vienne à songer : comme il est bête. Comme ses phrases et leur succession sont bêtes.

L'édition 2017 de ce rituel semi-séculaire t'a émoustillé plus qu'aucune autre auparavant. Celle-là tu l'as prise très à cœur, tu l'as incorporée au point de la somatiser en une sorte de fièvre dont tu te remets à peine. D'habitude tu te désactives dès le lendemain du second tour, remettant ta citoyenneté en veilleuse pour cinq ans, mais là douze mois après l'échéance tu n'en es pas revenu. La semaine dernière encore, au café, tu te repassais le film de cette épopée de salon. Une énième fois tu évoquais ta boule au ventre permanente de février à mai. Boule au ventre était ton expression, je l'ai encaissée par une blague, ou par un silence faussement consentant, souvent en t'écoutant je ne commente pas, j'y ai renoncé, il y aurait trop à redire, il y a un gouffre, pour qu'une amitié soit possible il faudrait que nous repassions tous deux par la matrice et que l'arbitraire biologique nous dote cette fois de corps compatibles.

Mais qui es-tu au juste ?
Qui est « tu » ?
Tu es celui qui se reconnaîtra dans ce tu. Tu n'es donc personne, puisque tu ne t'y reconnaîtras pas. Tu diras : je n'ai rien à voir avec ça, rien à voir avec tu. Si par extraordinaire mes mots t'ébranlent une minute, tu te remettras aussitôt d'aplomb, t'épousseteras l'épaule d'une pichenette, repartiras tel qu'en toi-même, inaltérable, imperturbé.

Je t'accorde ne pas adorer non plus qu'on m'emprisonne dans un pronom globalisant. On aime toujours mieux prodiguer des généralités que les subir. Comme toi, je réfute toutes les généralités à l'exclusion de celles que j'énonce. Puisque c'est moi qui le profère, je décrète que mon tu n'est pas une coquille vide. Mes yeux me sont témoins que ce tu générique regroupe à bon droit des individus de chair, à l'existence vérifiable. Vérifiable non pas n'importe où — tu te gardes bien de traîner n'importe où —, mais par exemple dans la ville où je persiste connement à habiter.

Tu es nombreux.

Tu es nombreux mais pas hégémonique comme certaine branche hostile le prétend. Tu n'es pas la pensée unique. Ta pensée, à supposer qu'elle mérite ce nom, est même minoritaire. Mais elle prend de la place. Tu te poses là. Tu es très visible. S'il existe des invisibles sociaux, tu es le contraire d'eux. S'il y a une majorité silencieuse, tu es la minorité audible. Dans les espaces en vue, c'est simple, on n'entend que toi.

Chaque jour et à toute heure du semestre qui a précédé la victoire de ton candidat plus ou moins assumé, je t'ai entendu, dans chaque bar et sur chaque plateau, dégoiser ta peur.

C'est la peur qui t'a surexcité. La boule dans ton ventre était de peur.

La peur n'est pas une molécule négligeable dans la chimie de ta bêtise.

La peur est bonne conseillère pour le chat livré à la nuit, elle renseigne ses sens et muscle sa prudence, mais il est plus douteux qu'elle irrigue le cerveau humain d'un sang fertile.

Est-il bien nécessaire de redire l'objet de cette peur ? Beaucoup de ce que tu dis va sans dire. Beaucoup de ce que tu penses va sans penser.

Depuis quatre décennies que tu le brandis, lui rendant ce faisant un paradoxal hommage, j'ai eu toute latitude de cerner l'objet. Mais laisse-moi encore jouer au con, jeu dans lequel j'excelle. Laisse-moi quelques minutes étouffer mon irritation dans une fausse candeur, et demander : peur de quoi ?

Peur d'une pandémie de cancers corrélée au terrorisme chimique des multinationales de l'agroalimentaire ? Peur d'un nouvel épandage d'actifs financiers toxiques sur des ménages déjà surendettés ? Peur d'un doublement des mal-logés, suite à une nouvelle crise systémique ? Peur de la disparition de l'hôpital public à force de rationalisation des coûts ?

Tu souris, paternaliste. Ce que tu crains est bien pire que tous ces fléaux réunis. C'est d'ailleurs ainsi que ta peur aime nommer son objet. Tu dis : le pire. Sans préciser. Le pire se comprend sans faire de dessin. Tu crains : le pire. Pendant six mois, sur toutes chaînes et tous réseaux, tu as si souvent confié craindre le pire qu'il a pu sembler que tu le désirais. Or tu ne le désires pas exactement – ou alors dans un coin très reculé de ton système nerveux. Il n'est pas même exact que tu en chérisses la possibilité, comme l'enfant à chaperon rouge aime la possibilité du loup. Il t'est juste nécessaire que le pire soit possible et le demeure.

À l'occasion du premier anniversaire de ce que tes éditorialistes ont appelé sans rire un chambardement, une de tes artistes organiques est revenue récemment sur la campagne, rappelant sa brutalité, sa violence (sic). Une bataille a été gagnée, respirait-elle, mais d'autres suivraient qu'il convenait déjà de préparer, dans quatre ans, alertait-elle, le danger resurgirait contre lequel nous devions fourbir déjà les armes, pour une victoire qui ne serait qu'une bataille et d'autres suivraient, qu'il convenait de préparer dès aujourd'hui, et ainsi de suite, des décennies que tu parles comme un hamster active sa roue, quarante ans que ta pensée tourne en boucle et tu voudrais que je ne la trouve pas faible.

Nous sommes début 2017, et toi l'apôtre du calme tu t'affoles. Toi si fidèle à l'égalité de ton des milieux protégés – des milieux où les mots sont protégés de leurs conséquences –, voici que tu le hausses. Toi le chantre de la paix tu organises une veillée d'armes. Tu me confies ton envie de consacrer un numéro de ta revue littéraire à la présidentielle, confirmant que ta coutumière réticence à l'art engagé n'est pas une position esthétique mais une position sociale, celle qui te maintient hors de l'urgence à s'engager, dans une zone où l'engagement est un sujet de philo de terminale – une famille délogée ne rédige pas trois parties pour décider si elle s'engage avec le DAL.

Nous sommes début 2017 et tu rameutes tes troupes. Pas une voix ne doit manquer le jour de l'héroïque glissement de bulletin dans l'urne posée au milieu d'une cantine d'école maternelle.

À l'approche du décompte final, l'heure n'est plus à discuter mais à obtenir de chacun la promesse de faire barrage – tous les cinq ans tu ressors cette expression de ralliement, comme on ressort les boules à Noël. Tu veux qu'on s'engage, par la présente pizza végétarienne cuite au feu de bois dans cet italien de la rue des Martyrs, à voter contre le pire.

Un jour que, par nécessité ou négligence, ou mauvais calcul de plaisir, je me trouve à portée de ta salive, tu veux m'extorquer cette garantie. Tu veux une promesse jurée et crachée que, mimant ta vaillance et ta lucidité, je vais faire barrage.

J'achète ma paix en te mentant. Oui oui tu peux me faire confiance, oui oui moi qui ne voterai à aucun des tours je voterai au second en faveur du candidat qualifié face au pire.

Te voici rassuré sur ma conscience du danger. Sur ma maturité. Sur mon état mental.

Mais une semaine plus tard, un plus farouche que moi – je suis beaucoup moins farouche en matière de vote qu'en matière de politique – te fait replonger dans la panique. On est au lendemain du premier tour et cet écervelé avoue qu'a priori il préférerait ne pas. Oui à tout prendre, à cette minute de ce 27 avril de l'an 2017, cet irresponsable se voit plutôt s'abstenir de voter Macron contre Le Pen.

As-tu bien entendu ce que tu as entendu ? Se peut-il qu'un être humain passé par l'école de la République ait la moindre hésitation dans des circonstances aussi dramatiques ? Hésiterait-il à répandre un antidote si la peste sévissait ?

Car ce n'est pas plus compliqué que ça. Case a la mort, case b la vie, reste à cocher. Pratiquée par toi la politique est un jeu d'enfant. Elle est simple comme bonjour, comme une règle de politesse. Elle soulage l'électeur de l'angoisse du choix, comme l'indiqua, sous couvert de malice, le titre d'un de tes organes de presse : faites ce que vous voulez mais votez Macron. Ainsi va ta démocratie : elle laisse le choix à la stricte condition qu'on opte pour le seul possible.

Et voilà qu'autour du 1ᵉʳ mai 2017, certains mauvais démocrates se soustrayaient aux règles élémentaires de la politesse.

Tu en es resté coi.

Transi de rage.

Alors tu as eu une phrase. C'est pour en venir à elle que mon clavier s'est égaré à évoquer cette campagne 2017, dont la trame et le dénouement ne parurent inédits qu'à tes yeux embués.

La phrase était : je ne comprends pas.

Nous étions entre les deux tours et, à mes oreilles arrachées à la préférable surdité, tu voulais signifier que tu ne comprenais pas qu'on répugne à faire barrage au mal, au pire, au pire du mal.

Il y a comme ça plein de choses que, par un tour rhétorique semblable, tu dis ne pas comprendre. Tu ne comprends pas que la guerre persiste partout. Tu ne comprends pas qu'on abuse de la faiblesse d'un enfant. Tu ne comprends pas qu'une prolo de 18 ans choisisse de ne pas avorter.

Tu ne comprends pas qu'on aime patauger dans la boue d'une ZAD. Tu es cette commerçante du docu historique de Watkins qui ne comprend pas que ses employées désertent sa boutique pour rallier la Commune.

Prise avec une naïveté dont pour ma sérénité je me souhaiterais capable, ton incompréhension est saine comme l'humilité, belle comme le désarroi. Mais le désarroi n'est pas ton fort – tu as l'assurance des tiens. Ton incompréhension n'est pas une demande implicite d'éclaircissement. Tu ne cherches pas à comprendre. Je ne veux pas le savoir, dis-tu parfois à ton fils enlisé dans la justification d'un 8 en maths, mais dans bien d'autres situations ta tournure est à prendre à la lettre. Et cette fréquente volonté de ne pas savoir est un ressort essentiel de ta bêtise.

Ton pas-comprendre exprime un tout-compris. En fait tu comprends tout. Tu affirmes. Tu juges. Tu juges indigne l'hésitation à faire barrage au pire.

Ta phrase d'entre deux tours était d'indignation.

Écrivant qu'il n'y a pas plus mensonger qu'un homme indigné, Nietzsche aurait pu ajouter qu'il n'y a pas plus pénible. La non-consigne de vote des Insoumis, un de tes écrivains organiques l'a jugée, noir sur blanc, une irréparable faute morale. Par définition l'indigné donne dans la morale ; sa haute idée de la vertu ruisselle en jugements.

Ne saute pas de joie. Ne crois pas m'avoir identifié. Ne crois pas que je viens de me donner en pâture à ta jubilante réprobation en plaidant la cause de ce patriote mitterrandien de Mélenchon. D'humeur peu judiciaire, je ne plaide rien. Je veux juste répondre à une question que tu n'as pas posée. Jouant au con toujours, je vais faire comme si ton incompréhension n'était pas feinte.

Tu ne comprends pas ? Laisse-moi t'expliquer. Laisse-moi te raconter comment ça se passe du côté de chez moi. Laisse-moi te décrire un tempérament que tu affectes de méconnaître pour ne pas fragiliser ta position.

Pour protéger tes positions.

Puisqu'il s'agit d'expliquer ma non-participation au deuxième tour, je dois commencer par me déguiser en votant.

Ce rôle de composition requiert peu d'imagination. Rien de moins difficile que de simuler un simulacre. L'acte de voter par toi tant célébré est un non-acte. À tout le moins un acte non politique. La politique se fabrique par réunion d'individus parlants, le vote est solitaire et muet. Ce geste hors de vue n'acquiert une consistance collective qu'au prix d'une abstraction. Je peux donc abstraitement me projeter dans cette abstraction. Je peux m'imaginer électeur.

Admettons donc que, les millions de malheureux Terriens privés du droit de légitimer leur aliénation par le vote venant hanter mes nuits d'avril 2017, j'aie été subitement sensible à l'argument routinier que desgenssontmortspourça ; admettons qu'il me soit absurdement apparu possible que la classe dominante offre à la masse l'opportunité de la destituer. Me voici en demeure de voter au deuxième tour opposant Emmanuel Macron, fils de médecin, à Marine Le Pen, fille de Jean-Marie Le Pen. Puis en demeure d'observer que le jour venu, corps casanier scotché à un roman du dimanche, je ne descends pas à la maternelle jouer mon rôle d'adulte.

Je n'égrènerai pas les dix bonnes ou mauvaises raisons de dédaigner ton appel chaque jour plus comminatoire à contrer le pire. Je ne m'enfoncerai pas dans le vaseux débat où les cerveaux français se sont noyés, le tien au premier chef, entre les deux tours. Ni ne m'enfoncerai-je dans le paradoxe d'une justification de l'abstention par la certitude que les votants pallieront ma défection en votant bien. Ni ne rappellerai-je l'évidence que la casse sociale perpétrée par le macronisme et ses versions antérieures est la première pourvoyeuse du FN, moyennant quoi tu me demandes en réalité de contrer un effet en soutenant sa cause.

Je serai moins théorique, plus organique. Je mettrai au jour le fondement viscéral de la théorie. Si les deux candidats sont renvoyés dos à dos en ce dimanche ensoleillé, c'est d'abord pour la raison que je les déteste autant l'un que l'autre.

Par loyauté à mes fibres je peux même confesser que je déteste davantage Macron. Macron et son monde. Son monde et donc Macron. Ce monde-supermarché et sa dernière tête de gondole.

Un soir je t'en ai fait l'aveu entre deux bières et tu as tiqué. « Détester » t'a semblé excessif, brutal, guerrier. Tu n'aimes pas la guerre. Tu ne veux pas savoir sur quelle guerre repose ta paix.

Une bière plus tard, j'ai ménagé ta quiétude : détester était un emportement de table, un abus de langage. Mais il était indexé sur l'abus des faits. En juin 2017, les faits abusaient de ma patience. Macron érotisé par sa victoire marchait sur l'eau, et le spectacle d'une majorité conquise par trois slogans managériaux ne pouvait susciter en moi qu'un rejet à proportion, aussi vrai que le dénigrement unanime de son adversaire blonde dans mon périmètre sociologique m'avait dissuadé d'y ajouter ma voix. Mon corps a l'esprit de contradiction – de compensation.

Mais l'individu qui s'adore déambulant entre les tapisseries de la Lanterne est conjoncturel. La structure, c'est toi. Je passe par la case Macron en tant qu'il te cristallise.

Clamant que tu votais contre Le Pen et non pour lui, tu cachais ton jeu. Tu ne t'es pas bouché le nez en glissant le bulletin. Loin s'en faut qu'à tes narines Macron soit malodorant. Que tu lui aies ou non donné ta voix dès le premier tour, comme il est statistiquement avéré que tu l'as massivement fait, il te représente. Il est ton image de synthèse, ton visage du moment. Ta version pompière. Retire ses enfantillages virilistes et c'est tout toi. En lui je reconnais tes traits, j'ai eu tout le loisir de les détailler car tu me cernes.

Que je sois cerné par toi a aiguisé mon aversion. Sans doute vouerais-je la même aux marinistes s'ils m'avoisinaient. Or le sympathisant FN n'est jamais là, jamais à portée de nerfs, c'est par contumace qu'on le condamne. Toi, dans mon champ de vision, tu fourmilles. C'est ma faute, je n'avais qu'à habiter La Courneuve ou Forbach, je n'avais qu'à m'éloigner, je ne vais plus tarder à le faire.

J'ai mon compte.

Si d'aucuns, te concernant, parlent à tort de pensée unique, c'est qu'ils s'expriment depuis ta droite et donc rechignent au lexique de la domination. Ta pensée n'est pas unique, elle est dominante. Elle est ce qui domine. Ce qui domine dans les faits. Ce qui ordonne le monde, le désordonne.

Je suis né sous ton régime. J'ai grandi et évolué dans une société configurée par des rapports de classes et de force inférés du mode de production capitaliste. Si nocifs que tu les prétendes, ce n'est pas à Marine Le Pen et à ses affidés que mon quotidien se cogne. Ce n'est pas dans les coordonnées du fascisme que mon corps est paramétré. Ce n'est pas le fascisme qui détruit la petite paysannerie ; ce n'est pas une coalition de gouvernements d'extrême droite qui extermine les poissons, qui impose à tous le chantage à l'emploi, qui tôt le matin parque des corps amers et hagards dans des RER, qui impose à une caissière des journées 9-13 / 17-22, qui esclavagise la moitié de la planète pour mettre l'autre au chômage, transforme en GPS les ouvriers d'entrepôt, m'oriente par algorithmes, privatise la santé et les plages, flique les chômeurs, bourre les pauvres de sucre, bourre tout le monde de perturbateurs endocriniens, soustrait 100 milliards par an au fisc.

Ce n'est même pas le fascisme, tiens, qui discrimine les Arabes à l'embauche, couvre les crimes racistes de ses flics, impose la tête nue à des lycéennes musulmanes, renvoie des migrants vers la guerre.

L'extrême droite même forte n'est pour rien dans ces saloperies effectives. Elle n'y participe que par où il t'arrive, à Calais ou ailleurs, de préfigurer son règne.

Tu me demandes d'apporter mon suffrage aux forces concrètement aliénantes pour freiner un mouvement qui en l'état n'opprime que le cerveau de ses partisans. Tu me demandes de faire barrage à un fleuve à sec en grossissant le torrent en cours.

À cette objection ta réponse s'est répandue comme un sermon : pour l'instant l'eau du fleuve fasciste dort mais méfiance, le pire est presque sûr, la prochaine sera la bonne, etc. D'où la boule. Au ventre. Et l'urgence de prévenir la maladie, avant qu'elle ne se déclare.

Selon ton habitude, tu te détournes de ce qui est au profit de ce qui pourrait être, tu spécules au lieu d'observer.

Ce pli spéculatif entre pour beaucoup dans cette manière de vacuité que j'ai l'outrecuidance d'appeler bêtise.

Au long de 2016, tu as répandu ta peur que Trump devienne président, et depuis qu'il l'est tu es aussi peu attentif à la vie politique américaine qu'à l'exécution du Brexit mis par toi dans le même sac horrifique. Hors son écume twitter, je t'entends peu commenter le trumpisme réel. Évidemment pas les sanctions contre l'Iran et tout commerce avec l'Iran (dollars dollars), ni les cadeaux fiscaux à son industrie pollueuse – trop concret pour toi –, mais pas non plus le retard dans la construction de ce mur mexicain que tu abominais d'avance. Serait-ce que la réalité du mur t'intéresse moins que son idée ? Serait-ce que le Trump effectif, aussi cornaqué que ses prédécesseurs par, au pire, les banques, au mieux, le Congrès, t'intéresse moins que l'idée cauchemardesque que tu t'en faisais ?

Tu préfères les idées aux faits.

Interrogé début 2018 par un animateur de télé organique, tu parles encore de « laisser sa chance » à Macron. Ce sauveur a déjà eu le temps de bousiller le Code du travail, de fragiliser l'office HLM, de supprimer l'ISF, d'entériner le CETA, de pérenniser le glyphosate, de vendre comme tout le monde des armes aux Saoudiens, et tu en parles encore comme d'une promesse, en t'outillant d'un lexique impressif, atmosphérique, humoral. Tu aimes, me dis-tu un soir en commandant un chardonnay, sa jeunesse et son positivisme. Puisque c'est positivité que tu veux dire, j'exhume l'oiseuse pensée positive de Raffarin, et je te demande : positif en quoi ? Positif pour qui ? Positif pour les poissons ou pour le plastique ? Pour les paysans ou pour la grande distribution ? Pour le travailleur licencié ou pour l'employeur débarrassé des prud'hommes ? Tu ne préciseras pas. Positif est ton dernier mot. Positif suffit. Une fois le réel congédié, ton discours peut se tisser de notions sans objet ni contenu.

Puisque tu domines, puisque tu régis les plateaux, tu as tout le loisir de liquéfier le débat dans des notions sans objet ni contenu.

Progressisme est la reine-mère de ces notions ; le signifiant creux d'entre tous les creux. Progrès en quoi ? Progrès pour qui ? Le catalogue de ta collection hiver-printemps 2017 ne le précisait pas. Pas plus que tu ne te fendras de définir son envers égal en vacuité, le déclinisme.

Le déclinisme est ta trouvaille repoussoir des années 2000. Déclin en quoi ? Déclin pour qui ? Déclin de la France, mais sur quel plan ? Le déclinisme est-il apologie du déclin ? Se signale-t-on décliniste quand on constate que l'air se dégrade, ou qu'Alain Delon était plus beau jeune ? Peu importe. Tu ne te mêles pas de contenu. Le déclinisme a une tête qui ne te revient pas, voilà tout. De lui se dégage un fumet passéiste. Un réac est d'abord celui qui en a l'air. Un réac fait réac et ça suffit. Ce que ça fait, de quoi ça donne l'air suffit à arrêter ton jugement, comme sur une chemise en vitrine.

Et puis tu aimes le genre que sa réfutation te donne. Tu t'aimes rejouant ad nauseam ta scène préférée, celle où, débonnaire et incrédule, tu croises le fer avec un réac. Ou ce que tu appelles un néo-réac, puisque sous ton magistère même le passéisme doit subir une couche de neuf pour avoir droit de plateau.

Aussi sûr que la menace du pire justifie ton vote, le réac te justifie. Il faut des grossiers comme lui pour qu'en son miroir tu sembles fin, des incarnations du vieux monde pour que le tien passe pour nouveau.

Votre numéro de duettistes est un chef-d'œuvre de complémentarité. Il aboie, tu t'indignes, il aboie contre tes indignations, tu te rindignes, il raboie. Il veut franciser ton prénom africain, tu démarres au quart de tour, il pouffe content de son coup, tu réclames son boycott, il jubile de cette censure, tu jubiles de l'assumer.

Vous allez si bien ensemble.

Vous parlez la même langue, usant du même lexique idéel. Tu aimes l'idée de métissage, il n'aime pas cette idée ; tu aimes le devoir de mémoire, il n'aime pas la repentance. Pendant deux heures vous vous invectivez autour de ces abstractions, le plus savoureux étant que vous le faites en vous revendiquant du réel : toi de celui de la mondialisation à laquelle il faut s'adapter, lui du pays réel des vrais gens oubliés par les bien-pensants angéliques. Tu l'appelles diable, il t'appelle bisounours, c'est rodé.

Clou du numéro : le c'était mieux avant. Alors, est-ce que c'était mieux avant ? demande le monsieur Loyal de service en se frottant les mains. Le réac revendique le droit de le penser, tu te désoles qu'il le pense. Pourquoi ? Parce que c'est désolant.

Parce que ce n'est pas très progressiste.

Parce que ça fait décliniste.

Parce que si c'était mieux avant, c'est moins bien après, et ça tu ne peux pas l'admettre. Car il y a des bonnes choses après. Plein de bonnes choses qui n'étaient pas mieux avant.

Sur cet élan incantatoire tu en viens à chanter l'Europe. L'Europe en soi, sans adjectifs, est selon toi une grande idée. L'idée de la fondation de l'Europe par de valeureux amis du genre humain te fera une vie, comme le récit d'Américains débarquant par altruisme en juin 44, comme la fable d'un abandon de l'Algérie par scrupule anticolonial du Général, tout pétrole mis à part. Tu n'iras pas chercher plus loin ; tu ne fais pas de l'histoire, tu fais dans la mémoire. La mémoire te va comme un gant, qui d'une séquence historique retient les gros traits, l'évide de ses tenants réels pour la débiter en conte édifiant. Tu te passes volontiers d'une analyse studieuse et informée du sac de nœuds et d'intérêts à l'origine de la construction européenne. Tu refoules en les disqualifiant les récits alternatifs qui voudraient souiller ta belle histoire. En les qualifiant de complotistes.

Complotisme est un autre de ces mots exsangues que tu as installés au cœur des débats, et il te sert de pesticide. Vaporisé sur une parole, il en dissout instantanément le contenu en le psychiatrisant. Édouard Philippe a été un lobbyiste du nucléaire ? Complotisme. La ministre de la Santé est proche des labos pharmaceutiques ? Complotisme. Délire. Tu ne prêteras pas l'oreille à un délire.

Le complotisme ne se définit pas, il se repère. Il est reconnaissable au fait que tu le reconnais. Tu as pour ça un flair aussi performant que celui du complotiste pour renifler le complot. Comme l'antisémite subodore le juif dans toute manœuvre bancaire, tu sens le complotiste dans une conférence sur le rôle des Américains dans la création de l'espace européen. Oui tout ça sent la théorie du complot. Tu te bouches le nez. L'anti-américanisme est un complotisme. Tu ne veux rien savoir des contreparties du plan Marshall. Tu ne veux rien savoir des manœuvres de Jean Monnet, tu n'entreras pas dans ce jeu, tu sais très bien où le délirant conférencier veut en venir. Tu les connais les complotistes et autres complotistes. D'ailleurs, le voisin du conférencier a déjeuné deux fois avec le cousin d'un ex-membre de France-Palestine Solidarité. Dans la reconstitution d'un réseau tu n'as d'égal que le traqueur de francs-maçons.

La version où cinq chics présidents font la paix en s'étreignant est-elle beaucoup moins fantaisiste que celle où une poignée de factieux complotent en secret ? Il n'empêche : idée pour idée, tu préfères celle où la bonne volonté des uns rachète la mauvaise volonté des autres, où des saints triomphent des nazis. Ton Histoire avance en marchant sur l'eau.

Tu t'en tiens donc à : l'Europe. Y croire. Défendre l'Union européenne envers et contre tout, car elle garantit la paix, et la joie comme l'atteste scientifiquement son hymne. La défendre contre le protectionnisme, autre mot repoussoir de ta panoplie verbeuse.

Tu n'as suivi que de loin le dossier des taxes imposées aux produits chinois par l'administration Trump. Pour toi le protectionnisme n'est pas une politique, c'est une opinion. Et cette opinion exsude une névrose. Le protectionnisme est la revendication des craintifs, des étriqués. Le symptôme d'un provincialisme aigu.

La sortie de l'euro n'est pas une hypothèse tirée de l'impasse objective de la zone, mais un repli sur soi. Todd l'envisage parce qu'il est replié sur lui ; déjà au collège il se recroquevillait dans la bulle hard-rock de son walkman. Alors que toi, Européen tenace, Européen malgré tout, Européen contre vents et paradis fiscaux, tu te déplies vers l'autre.

D'où te vient cette ouverture ? Du fait que tu es ouvert.

Un soir à la télé un de tes intellectuels organiques commentant l'élection de mai 2017 oppose l'ouvert et le fermé, à l'unisson de son candidat désormais président, et nie dans la foulée qu'il s'agisse de catégories évaluatives. Il y a des gens ouverts et des gens fermés, les premiers sont pour l'Europe, les seconds contre, c'est comme ça. Il ne juge pas, il constate.

Tu es quand même drôle parfois.

Tu ne vas plus tarder à parler du populisme. C'est le populisme qui t'a mis la boule au ventre.

Sa montée. Tu disais : la montée du populisme. C'est qu'en 2016 il y avait eu Trump et le
Brexit. Tu avais pris le pli un rien paranoïaque
– complotiste ? – de ficeler les deux événements,
suggérant un raz-de-marée planétaire. Après
Trumpeetlebrexit, après Orban en Hongrie et
son clone en Pologne, l'accès de Le Pen à l'Élysée
devenait possible, puisque tous ces phénomènes
étaient dûment agglomérables sous le nom de
populisme.

Que ce substantif soit devenu un fleuron de
ton industrie du prêt-à-nommer est un premier
indicateur du fait qu'il ne signifie rien.

Rancière l'a dit mieux que moi, mais puisque
tu ne lis pas Rancière je le redirai moins bien :
qualifier de populiste un mouvement qui flatte
les bas instincts xénophobes et racistes suppose
que le peuple ait le monopole desdits instincts –
ce qui, note Rancière, oblitère, outre le racisme
d'État, le racisme dispensé par les classes supérieures dont passé et présent offrent maints
exemples. Mais avant cela, prêter au peuple une
sauvagerie propre, ou, par la fable symétrique
des néo-orwelliens, une vertu propre nommée
décence commune, suppose que le peuple ait
une réalité substantielle. Or le peuple n'est pas
une substance. Il n'y a pas le peuple, il y a des
peuples, il y a des gens provisoirement agrégés
en peuple par une situation, un mouvement, une

persécution, une lutte, une cristallisation historique, un événement.

Cette conception constructiviste et historique du peuple est le substrat de la gauche. La conception substantielle et essentialiste du peuple est celui du fascisme. Le mot populisme que tu accoles à l'extrême droite procède de son imaginaire. En l'étiquetant ainsi pour la condamner, tu la ratifies.

En seconde analyse, qu'un mot soit vide de sens n'empêche pas son usage d'en avoir. Que dans ta bouche un mot fabriqué en ajoutant un suffixe à peuple désigne le péril maximal, cela fait lourdement sens. Ce mot ne dit rien du réel et tout de celui qui le répand. Populisme ne dit rien du peuple et tout de toi.

Dit quoi ? La récente variante plurielle du nom permet de le préciser.

Quand tu t'es mis, comme un seul homme, à parler des populismes, on a d'abord cru que par là tu prenais acte de la multiplication des foyers européens de la peste – sur tes cartes de chaînes d'info, la Pologne, l'Italie, la Slovénie et l'Autriche étaient en noir. Puis il est apparu que le pluriel visait à inclure des mouvements de gauche. Or aux mille tares que tu prêtes aux Insoumis, entre allégeance vénézuélienne et archaïsme économique, tu n'aurais quand même pas l'indécence d'ajouter le racisme et autres bazinstincts à la flatterie desquels on reconnaît censément le populisme. Rien à faire, pas de trace d'un tweet xénophobe ou misogyne sur le compte de Mélenchon. Et ses ambiguïtés sur les migrants ne sont ambiguës que dans tes rêves.

Mais alors qu'est-ce qui vaut aux Insoumis leur intégration à l'axe du mal populiste ?

La réponse n'est pas dans la récente réhabilitation du mot au sein de la gauche critique, via les travaux de Mouffe et Laclau que tu ignores. Elle n'est pas dans la mégalomanie du leader charismatique des Insoumis – ton Macron n'y est pas moins sujet, et pas moins autocrate. La réponse est dans le mot, dans sa morphologie. Peuple + isme, donc. Au plus sincère de ta perception, le populiste est bien celui qui, non pas trompe le peuple comme tu le prétends en le taxant de démagogie, mais le défend. Et par peuple ton inconscient social sait très bien ce que tu désignes. Ce signifiant creux est plein. Plein de ta peur. Plein de la vieille peur qui t'anime, te mobilise, te structure. Définition de peuple dans ton dictionnaire intime ? Ce qui te menace. Menace ta place. La repère, la conteste, parfois l'assiège.

Parlant du peuple, tu penses gens du peuple. Tu penses classes populaires. Dont tu crains qu'elles montent, en effet, qu'elles montent comme la Seine en crue jusqu'à ta position ;

qu'elles dressent des échelles contre le mur du château et t'embrochent sur une fourche.

Aussi vrai que le procès en égalitarisme sert de cheval de Troie au procès de l'égalité, l'hostilité au populisme est le masque présentable de ce que Rancière appelle ta haine de la démocratie, coextensive à ta sainte terreur de l'irruption des gueux dans tes hautes sphères. Les prolos, tu les aimes comme les racistes aiment les Africains : chez eux. Tu les aimes s'ils restent à leur niveau, et les hais quand ils prétendent s'asseoir à la table du conseil d'administration de la société.

Qui es-tu ? Qui est « tu » ? Tu es celui que tout ébranlement des classes populaires inquiète et crispe en tant qu'il menace ta place.

Celui que tout ébranlement des classes populaires inquiète et crispe en tant qu'il menace sa place peut sans écart de langage être nommé bourgeois.

« Tu » est un bourgeois.

Tu es un bourgeois.

Un bourgeois de gauche si tu y tiens. Sous les espèces de la structure, la nuance est négligeable. Tu peux être conjoncturellement de gauche, tu demeures structurellement bourgeois. Dans bourgeois de gauche, le nom prime sur son complément. Ta sollicitude à l'égard des classes populaires sera toujours seconde par rapport à ce foncier de méfiance. Dans bourgeois de gauche, gauche est une variable d'ajustement, une veste que tu endosses ou retournes selon les nécessités du moment, selon qu'on se trouve en février ou en juin 1848, selon le degré de dangerosité de la foule.

Tu es de gauche si le prolo sait se tenir. Alors tu loues sa faculté d'endurer le sort – sa passivité. Tu appelles dignité sa résignation.

Digne est le pauvre qui te ménage, qui t'épargne.

S'il ne se tient pas, tu fais les gros yeux. À Ruffin en maillot de foot à la tribune de l'Assemblée, tu colles une amende, précédée d'un conseil de discipline où tu le sermonnes. Tu es le proviseur adjoint du lycée France, et le proviseur Attali en remet une couche à la télé, pose la limite, marque la règle, en rappelant qu'une tenue négligée n'est pas tolérable car député oblige. Oblige à quoi ? Oblige le gueux à se costumer avant d'entrer dans l'hémicycle. L'oblige à se déguiser en toi.

En bourgeois.

Depuis dix pages je t'agaçais, cette fois je t'insupporte. Je t'étiquette et tu n'aimes pas les étiquettes, une de tes actrices organiques le disait hier encore sur France Inter, avec l'assentiment de son intervieweur homogène.

Tu aimes aussi peu qu'on te mette dans une case qu'un voleur n'aime être démasqué.

Et puis bourgeois est périmé, est caduc. Au XIXᵉ siècle passe encore, avant-guerre à l'extrême limite, haut-de-forme et casquettes, chemise blanche et bleu de travail, mais désormais tout est complexe comme dit Edgar Morin cité en séminaire de cadres, désormais la classe ouvrière est noyée dans la classe moyenne, les catégories sont brouillées, les clivages sont dépassés, le mur est tombé, nous sommes tous des êtres humains, tous dans le même bateau, et bon, il se trouve que tu es en cabine quand d'autres sont en soute, mais c'eût pu être l'inverse.

Un soir que sur un plateau s'évoque le vote Macron comme vote bourgeois, tu t'inscris en faux. Toi tu as bien voté pour lui mais tu n'es pas bourgeois, tu n'as pas grandi de collège Montaigne en lycée Henri IV, tu n'es pas le fils d'un écrivain éditeur lui-même fils d'un riche homme d'affaires, tu n'as ni épousé une fille d'écrivain millionnaire ni fait un enfant avec une fille de grand industriel italien, tu n'es pas un sectateur de la démocratie libérale, un apôtre infatigable du monde libre, un pourfendeur assidu de la gauche sociale, un contempteur zélé de tout mouvement de masse, non tu n'es pas un intellectuel organique de la classe dominante, tu n'es rien de ce que tu transpires par tous les pores, et d'ailleurs tu ne t'appelles pas Raphaël Enthoven.

Quant à ton contradicteur de ce soir-là, il rappelle les faits établis par la carte sociologique du vote de 2017, méconnus de ceux-là seuls qui ont pris soin de les méconnaître. Les électeurs de Macron sont des citadins aisés de centre-ville et des retraités à patrimoine. Ceux de Le Pen sont issus pour moitié des classes populaires assignées à la périphérie. Le vote est un pur vote de classe, conclut le vis-à-vis. Conclut Éric Zemmour.

Raphaël Enthoven a voté Macron au second tour, et sans doute au premier, réfractaire à voter pour un PS dont le candidat était un chouïa moins centriste que d'habitude. Éric Zemmour milite pour la fusion d'une partie de la droite dite républicaine et de l'extrême droite. Sur le camembert moisi de la scène partisane, le premier est donc plus proche de moi que le second. Ma sympathie relative dans ce débat devrait lui revenir. Mais cette évidence n'en est une qu'à tes yeux de courte vue. Dans cette confrontation, du moins à ce moment de cette confrontation, c'est de Zemmour que je me sens proche, pour la raison suffisante qu'il promeut une analyse de classes, parachevée par une synthèse que je pourrais signer : Macron n'a fait que rassembler la bourgeoisie libérale jusqu'alors illusoirement scindée en un hémisphère gauche et un hémisphère droit.

Même sous le couvert d'une opposition à la bête immonde, même dans l'anonymat inconséquent de l'isoloir, le vote Macron était le plus purement bourgeois de l'histoire de ta République.

Tu ne comprends toujours pas. Ton esprit n'est pas en état de comprendre, hébété qu'il est par le shoot de joie que je viens de lui procurer en souscrivant à une analyse de Zemmour. C'est la grande confirmation de ta thèse centrale : les extrêmes se rejoignent. Que font les extrêmes dès qu'ils ont une heure à tuer ? Ils se rejoignent. À la piscine, au bowling, sous des ponts, dans un salon de l'ambassade de Russie, ils se rejoignent. Tu es outré, tu es ravi. Tu avais raison de soupçonner une coalition des populismes.

Et puisque tu ne comprends pas, c'est encore à moi, secourable, qu'il incombe de t'éclairer. Je ne vais pas me dissocier de Zemmour pour laver mon honneur mais pour t'éclairer. Pour t'éclairer sur votre proximité rhétorique. Issue d'une famille pied-noir virée d'Algérie, le petit Éric en a conçu une tenace hostilité aux Arabes, c'est une chose et après tout elle le regarde, mais surtout il garde une telle reconnaissance à la patrie de l'avoir hissé jusqu'à Sciences Po qu'il l'aime, la patrie, d'un amour aussi intransitif que ton credo européen. Vous êtes des croyants. Vous vous balancez à la gueule des icônes. Éric Zemmour brandit l'effigie de Richelieu, Raphaël Glucksmann celle de Voltaire, et les voici objectivement solidaires dans l'occultation de la question sociale.

À son analyse de classes Zemmour ne donne aucun prolongement social. Sa sympathie pour « le peuple », voire « les peuples », ne lui sert qu'à incriminer la bourgeoisie béatement cosmopolite qui selon lui a assassiné sa maîtresse la France. Elle est purement stratégique ; elle s'arrête là où commencent les mouvements sociaux, qu'il ne soutient jamais, pas plus qu'il ne porte ses flèches éditoriales contre la loi travail, la flexibilisation des salariés, le management par la terreur, la dégressivité de l'indemnité de chômage. Les classes populaires l'intéressent pour autant qu'elles sont l'incarnation contingente d'un peuple français transtemporel, campé sur son génie, sur son destin historique de nation dominante. À la fin il ne défend les classes populaires que sur la foi de la passion identitaire et du racisme foncier qu'il leur prête. À la classe, sociale, historique, mobile, il préfère le peuple, territorial, substantiel, fixe.

Le peuple est pour toi cette masse indifférenciée dont il y a toujours urgence à réfréner les ardeurs. Le peuple est pour lui cette masse indifférenciée sur laquelle un grand homme conquérant, et de préférence Bonaparte, gagne à s'appuyer. Tous les deux vous dites : le peuple. Et par extension : populisme – pour le revendiquer ou le conspuer, peu importe. Vos lexiques se recoupent, se soutiennent, m'excluent. Moi qui n'ai pas l'usage de pareils termes, je suis dans vos débats le tiers absent.

Dans vos débats intra-bourgeois.

Bourgeois est la synthèse d'une condition et d'un système d'opinions, celui-ci justification et défense de celle-là. Tu as les opinions de ta condition, les positions de ta position. En 2017 comme à chaque élection depuis cent cinquante ans, tu as soutenu le candidat le plus apte à contenir l'assaut populaire contre ta position.

Tu trouves les présentes assertions réductrices. Si tu as fait Sciences Po comme Raphael et Éric, tu me taxes de réductionnisme. Tu tiens trop à ta liberté pour laisser quiconque t'assigner à une classe.

Mais tenir à la liberté est aussi l'apanage de ta classe. Le postulat de la liberté individuelle est nécessaire à ta condition, qui te laisse croire que tu dois celle-ci à tes initiatives libres, à tes capacités *sui generis*, que tes privilèges durement

acquis et non mollement hérités n'en sont pas.
Ainsi, plus tu nies être lié à une condition, plus
tu avères ce lien. Tu ne t'étiquettes jamais autant
qu'en niant ton étiquette. Tu es piégé.

Tu ferais mieux de te taire.

Au lieu de quoi tu contre-attaques – rarement
te voit-on si nerveux, aurais-je touché un point
sensible ? Tu me mitrailles de questions-défis.
Bourgeois qu'est-ce que c'est au juste ? Cette
classe, où commence-t-elle, où finit-elle ? Moi
qui sais tout, où mets-je le curseur ? Si c'est le
compte en banque, tu m'arrêtes tout de suite,
je tombe très mal, en ce moment tu as de gros
gros problèmes de fric, m'informes-tu en rapportant une bonne bouteille – tu dis : une bonne
bouteille – de la cuisine de ton appartement du
dixième arrondissement.
    Comme tu ajoutes chercher une solution
financière, il m'apparaît qu'elle se trouve dans
ledit appartement. Pas tant dans sa vente, que tu
n'envisages pas malgré tes gros gros problèmes de
fric, mais dans le fait présentement palpable que
tu en es le propriétaire et y débouches un chablis
qu'à la première gorgée tu juges trop frais. Pas
tant dans tes revenus que dans ton patrimoine,
inextricablement hérité et acquis, acquis grâce

à un pécule amassé dans des sphères d'activité auxquelles tu as accédé grâce aux facilitations de l'héritage direct ou symbolique.

Je t'avais prévenu qu'en me réfutant tu risquais de me donner raison. Que le plus sage était de te taire, accueillant mes analyses par le silence extatique d'après l'advenue de la lumière.

Tes gros gros problèmes de fric viennent de la récente création de ta start-up, un site de cuisine coréenne collaborative qui cherche encore son équilibre. Cela fait un an que tu ne te payes pas. Treize mois, précises-tu. Et je me demande : qui paye tes charges ? Qui paye la bonne bouteille ? Et la semaine à Hong Kong qu'il y a une heure tu narrais avec enthousiasme ? Le vélo elliptique que j'aperçois dans ta chambre a-t-il donc été livré par le Secours populaire et non par Amazon ?

Tu pourrais aussi être un comédien sans contrats, un critique littéraire déclassé par l'avènement des booktubeuses, un jeune généraliste étranglé par le prix du bail de son cabinet place de Clichy : dans tous ces cas de figure parisiens, tu ne monterais pas dans la charrette des profs et infirmières relégués en proche banlieue par la montée en gamme des arrondissements centraux. Le matelas de la propriété foncière t'évite cette déchéance, amortirait ta chute.

Tu es une manière de rentier.

Parfois la rente est virtuelle, symbolique. La bourgeoisie est en soi une rente. Constance Debré, que sa sèche lucidité distingue parmi les siens, l'écrit bien : même pauvre un bourgeois est riche. Est ontologiquement riche, renchérit-elle. L'ordre des choses le rémunère. Rien de grave ne t'arrivera. Dans ce système de répartition des richesses, tu n'as à craindre que sa remise en cause, c'est pourquoi tu le protèges, tu le conserves.

Tu es un conservateur.

Conservateur en quoi ? Conservateur pour qui ? Tu peux ici me retourner l'accusation de nominalisme. En soi, conservateur n'est qu'un nom. Chacun est conservateur à sa manière. Chaque système d'opinions mêle des options de conservation et de mutation. Je veux conserver le monopole de la SNCF et supprimer l'héritage. L'écologie radicale veut conserver le vivant et dans ce but bouleverser notre mode de production que toi tu tiens à conserver. Tu veux dynamiter le système social français et conserver la propriété. Tes réformes dites structurelles consolident la structure de classes que j'aimerais voir imploser pour conserver le vivant.

Bourgeois libéral, tu peux toujours te distinguer de la bourgeoisie conservatrice, il reste que tu veux conserver l'ordre libéral. La destruction créatrice que tu vantes ne détruit jamais cet ordre – plutôt des usines et des vies. Ta transition écologique ne sortira pas du cadre de la croissance et de l'accumulation. Tu limiteras les émissions de carbone et faciliteras la prédation. Tes disruptions ne feront pas rupture avec la finance. Éventuellement avec ses excès, car oui tu le déplores il y a des excès. Un jour tu moraliseras le capitalisme, ce sera un lundi de Pâques.

De quoi es-tu le conservateur ? De toi.

Bourgeois est celui qui, possédant, a quelque chose à perdre. Qui a plus à perdre qu'à gagner à la destruction de l'ordre en place.

Bourgeois est l'élève qui un jour de contrôle de maths, certain qu'il va monnayer ses révisions en bonne note, prie pour qu'un incendie n'évacue pas le lycée. J'étais cet élève. Amassant d'année en année le capital symbolique d'une victoire scolaire programmée, j'étais bourgeois en tant qu'élève. Souvent j'y repense pour te comprendre, pour comprendre ta défense de la régularité, ton souci que tout se passe dans les règles que tu as écrites à ton profit.

Cette loyauté aux règles, tu la sublimes en légalisme, et c'est un autre mot écran. Respecterais-tu une loi qui te destitue ? Accepterais-tu loyalement un décret qui interdise la propriété lucrative ou les licenciements ? Payes-tu toujours les impôts que tu dois ?

Vois ton état quand point l'infime possibilité d'un changement de société. Mesure à la boule dans ton ventre qu'il y va de ta survie que ce changement n'ait pas lieu. Soudain tu deviens agressif comme un chien jaloux de son os, tu en perds ta politesse de vainqueur – les vainqueurs ont beau jeu d'être polis. Tu te crispes sur tes avoirs, comme Sganarelle sur ses gages. Tu te cabres sur l'existant. Tu ne veux pas entendre parler de la sortie de l'euro. Ce serait folie, ce serait suicide. Il faut avoir perdu la raison pour envisager un chamboulement pareil.

Plus foncièrement qu'à la loi, c'est à la société que tu es loyal. Nonobstant ses injustices ponctuelles et remédiables, tu penses que son ordre est juste, légitime. Tu es assez convaincu de ton bon droit. Le droit est ton juge de paix. Souvent tu es passé par la fac de droit, plus rarement par celle de philo.

En philo, éprouver avec Pascal et tant d'autres, que parmi l'impure communauté humaine toute société est sans fondement, est an-archique rappelle Lordon, t'aurait causé un petit vertige.

45

Sans fondement sinon la délibération de tous avec tous dont tu as exclu les basses classes, c'est-à-dire la moitié de la population. Toi le légaliste tu perpétues ton pouvoir arbitraire.

Tous les cinq ans tu te réactives en faveur du parti de l'ordre, du parti libéral, qu'il s'affiche de gauche ou de droite ou les deux. Tu te remets en marche pour renouveler ton bail, comme un président d'association assure le renouvellement annuel de sa subvention municipale. Tu organises quelques joutes télévisées pour convaincre la plèbe que la partie n'est pas jouée d'avance, que le bail n'est pas automatiquement renouvelé. Tu protèges une place dont cinq républiques n'ont jamais permis au bas peuple infiniment plus nombreux de te déloger.

De là à penser que la République eût d'emblée vocation à légitimer cette place indue, il y a un pas que le catholique social Henri Guillemin et moi-même, lui s'inspirant de moi, avons la faiblesse de franchir.

Le titre du best-seller de Yascha Mounk, ton nouveau porte-voix, est un lapsus parfait. Si le peuple est « contre la démocratie » (ne votant pas, votant pour les méchants), c'est parce qu'il est gagné par la sensation que ta démocratie a été bricolée contre le peuple.

Ton opposition au populisme n'est pas un ressort parmi d'autres de ton vote. Elle est ton idée maîtresse, dérivée de ton désir maître de conservation. Tous les cinq ans, c'est pour repousser les assauts du peuple que tu montes au créneau – du château –, tout en donnant aux dépossédés l'impression qu'ils s'immiscent dans le jeu des possédants. L'illusion que tout peut changer est nécessaire pour que rien ne change. L'élection est un mal nécessaire. Un mauvais moment à passer. Tu t'en veux d'angoisser, au bout de deux siècles tu devrais savoir qu'il n'y a rien à craindre. Puis mai vient qui te soulage. Une fois de plus tu as gardé les clés.

Je me suis parfois étonné de l'intérêt que tu portes à la politique dont tu n'as nul besoin, puisque le monde comme il va globalement te va. Seuls les perdants, m'égarais-je, seuls ceux que la marche régulière du monde accable devraient se soucier de politique, aussi sûr qu'une réforme de l'école devrait intéresser le seul cancre. J'oubliais que tu ne t'enquiers pas de politique mais de pouvoir, et donc des élections dont le pouvoir est l'unique enjeu. J'ai fait un jour remarquer au plus talentueux de tes écrivains organiques qu'il ne regardait l'époque que depuis les lieux de décision ; qu'aucun de ses trois romans à ce jour ne daignait se pencher sur la politique telle que pratiquée en bas, de la politique comme travail collectif d'émancipation ; qu'on n'y voit jamais des désobéissants civils héberger des clandestins, des écolos squatter un site dévolu aux déchets toxiques, des ouvriers fauchés par une faillite orchestrée rebondir en SCOP, des femmes de ménage d'un Holiday Inn vendre des gâteaux pour financer leurs trois mois de grève.

Seule t'intéresse la conservation de ton pouvoir, et que ceux qui l'exercent garantissent tes avoirs, garantissent les banques quand leurs conneries les font faillir, garantissent ta prospérité.

En vertu de quoi je devrais plutôt m'étonner qu'un nombre non négligeable de prolétaires votent encore, se mêlant de la désignation du président de copropriété qui par définition ne les concerne pas.

L'attitude de Le Pen pendant le débat d'entre-deux-tours t'a scandalisé et ravi – consternation triomphale de tes éditorialistes le lendemain. Scandalisé par un tel manquement aux règles de l'exercice, tacitement fixées entre pairs ; ravi que, manquant à ces règles, la candidate FN ait trahi son incapacité à en être, et par extension celle du populo dont elle a la comique manie de se prévaloir. Ravi que la France entière ait pu observer qu'à la table du conseil d'administration, le populo ne sait pas se tenir. Les jours suivants, la gueuse de Saint-Cloud emprunterait au même schéma pour le retourner ; elle avait fait effraction dans un milieu qui la refoulait. Elle était Cécilia Sarkozy s'enorgueillissant d'avoir bousculé le protocole de l'Élysée. Elle était une souillon au palais, pensais-tu, pensait-elle. Souvent comme elle tu te fantasmes rebelle à ton milieu.

Il n'empêche que dans la stricte situation de ce débat, en miroir de son adversaire du soir, elle était bien l'infirmière réclamant à la direction de la clinique de participer aux décisions médicales. Et le médecin (Macron père ?) : allons allons, regardez-vous, écoutez-vous. Restez dans le rang et laissez-moi tenir le mien.

Dans l'enceinte du collège-lycée de centre-ville nantais où je me suis ennuyé sept ans, tu t'incarnais dans ta version brute. D'abord parce que parmi toi évoluaient des rejetons de ta branche la plus éhontée, la plus fière – je suis fier de mon père, m'avais-tu dit un jour, et l'oxymore de ton mérite hérité tenait tout entier dans cette formule à l'envers. Mais aussi parce que ta branche modérée était à la fois décomplexée par la contre-offensive libérale des années 80 et par la morgue de l'adolescence. Moyennant quoi tu étais un livre ouvert. Tu avais totalement la gueule de l'emploi. L'heure n'était pas encore aux baskets, tes souliers étaient vernis. L'heure n'était pas encore à la barbe de trois jours, ton bon teint apparaissait à nu, tout comme ce trait invariant, ce trait commun à ta version brute ou moins brute : le sens des responsabilités.

Tu pouvais me suivre voire me précéder dans le chahut sans risque, harceler avec moi un prof faible, ces petits écarts n'auraient qu'un temps. À la fin tu rentrerais dans le box. C'est toi qui administrerais les murs que pour l'instant tu badigeonnais de tags, aussi sûr qu'aujourd'hui tu t'arranges pour débarquer au bureau frais et rasé – frais et barbu – après une nuit blanche de poker entre potes.

Plus tard, c'était écrit, tu serais en charge, et ce destin social t'avait déjà imprégné de pensée responsable. Une pensée dévouée à la sauvegarde, ataviquement corrélée à la tienne, de la société. Tu faisais corps avec la société car un vieux savoir transmis sans mot t'assurait qu'elle et toi étiez consubstantiels. Son ordre était ton ordre.

Sa paix ta paix.

Par une inversion toute spinozienne, tu t'imagines trouver de l'intérêt à ce qui est bon, quand tu juges bon ce qui sert ton intérêt. Tu prends pour des qualités objectives de la société les bénéfices qu'elle t'octroie.

Tu aimes la fable – la sociodicée, dirait Bourdieu – d'une école généreusement conçue par ses fondateurs bourgeois pour émanciper la masse. Tu aimes la story du citoyen fait prof, non pour subvenir à ses besoins, mais pour contribuer à cette opération philanthropique. Les nombreuses fois où tu as voulu me faire dire que l'enseignement me manquait, ma négation t'a désappointé. Pendant trois secondes elle t'a fait redescendre du village dans les nuages où le système qui te profite est forcément juste, où l'école qui t'a profité est forcément juste. Où l'école pavée de bonnes intentions s'est seulement égarée en chemin. Comme parfois notre République, cette mère aimante. Comme le capitalisme, d'abord béni des dieux.

C'est Rousseau renversé : la société est naturellement bien conçue, hélas quelques tristes sires la dénaturent. Quelques élèves mal enseignés dans des collèges mal managés finissent en prison. Quelques banquiers vénaux surendettent des insolvables et créent des bulles ravageuses. Quelques Pétain souillent nos valeurs. Quelques colonies.

Cela s'est encore vu dernièrement : la sociologie t'irrite. Expliquer c'est excuser, as-tu fulminé, et ce pitoyable enfantillage masquait le fond de ta pensée. En vérité la sociologie t'irrite parce qu'elle te déstabilise, te fait trembler sur ton socle. Ses principes fondateurs contreviennent aux tiens, établissant le caractère construit, c'est-à-dire non-nécessaire et donc réversible, de toute organisation sociale. La sociologie désenchante ce qu'Illich appellerait ta vision enchantée de la société. Elle dissout ton rêve, casse ton jouet. Du coup tu t'excites contre elle, tu veux lui faire rendre gorge. Tu as un bouc d'homme et 53 ans mais tu es resté en quatrième.

En quatrième, c'était l'inverse, tu avais 13 ans et tu parlais comme un sénateur, tu me parlais comme à un môme. Si les chômeurs sont indemnisés sans conditions, récitais-tu, les gens ne voudront plus travailler. Les gens ce n'était pas toi, promis à des revenus auxquels tu ne renoncerais pas pour une allocation de 500 euros. Quand tu dis les gens ce n'est jamais toi, mais les pauvres. Au collège déjà tu te souciais fort que les pauvres travaillent, qu'ils produisent de quoi assurer trois points de croissance. La société était une société, déclarée comme SARL à la chambre de commerce. Tu ne parlais pas de start-up nation, 1985 oblige, mais c'était tout comme. Tu n'attendrais pas que Macron fusionne les fonctions de président et de manager, ni que lui et ses clones prennent l'habitude d'alterner trois ans de cabinet et deux ans de pantouflage dans une multinationale, pour tenir qu'une société se gère comme une entreprise. Tu dirigerais ta boîte en père de famille, et ta famille comme un pays.

Déterminé à rebours, j'avais quant à moi intériorisé la certitude que je n'étais pas voué aux responsabilités, et donc j'étais irresponsable. J'épousais le point de vue du chômeur et non de l'État qui l'indemnise, du détenu et non de la hiérarchie pénitentiaire. J'étais une Antigone avec duvet sous le nez, préférant la justice à l'ordre. Et toi, Créon sans toge, tu te désolais tendrement de mes folies. Mes idées étaient bien belles mais utopiques – mon précoce boycott de ce mot tient au ton paternaliste avec lequel tu le prononçais. On ne pouvait pas se le permettre. On, c'était nous. Nous les Français unis pour le bien de l'entreprise France, sûrs que le profit de la boîte leur profitera.

Parfois mes belles idées s'assortissaient de grands mots renseignés qui nous intervertissaient sur l'échelle de la maturité. Une si ferme éloquence te donnait le furtif sentiment que j'avais dix ans d'avance sur toi. Et puis tu te reprenais, te recomposais. Non c'était bien dix de retard. J'étais une créature pré-pubère dont l'eczéma contestataire guérirait avec l'âge.

Trente ans après cette démangeaison n'est pas passée et tu me regardes non plus comme un branleur bientôt rallié à la raison adulte, mais comme un adolescent attardé. Qui t'agace mais t'amuse mais t'agace. Tu accueilles mes péroraisons avec une bonhomie condescendante. Tu n'entres pas dans la dispute, tu grondes une bêtise. Je suis bien mignon. Ma suggestion d'abolir l'école obligatoire tu l'appelles provocation pour te dispenser d'y réfléchir. Je suis bien mignon mais tu as autre chose à penser. Tu as une baraque à tenir – une société.

La semaine dernière, puisque partout s'analysait l'an I du macronisme, tu ne m'as pas parlé de la privatisation de la SNCF mais de cette élection encore, et de ton sûr sentiment d'irresponsabilité (sic) si tu t'étais abstenu au second tour. Moi non. Tu t'en serais voulu de participer à la victoire de Le Pen. Moi non. Totale sérénité. Sifflotement main dans les poches. Je ne me sens pas concerné.

D'abord parce qu'au processus long qui mène au pire, j'ai beaucoup moins part que toi. Ce n'est pas moi qui ai fracassé la classe ouvrière du Nord et d'ailleurs. Ce n'est pas moi qui fais désormais profession, dans mes essais, de pointer la coupable indifférence de la gauche au fait religieux – et de sous-estimer l'islamisme. Ce n'est pas moi qui ai considéré, avec la caution de l'héritière de Publicis, que les dérogations à la laïcité souillaient la République plus que ses dix millions de pauvres. Ce n'est pas moi qui ai vissé l'islam au centre des débats depuis trente ans, y compris pour en faire valoir la branche éclairée. Tu as voulu parler de race, de culture, de religion, plutôt que de classe ? Paye l'addition. Je ne me sens pas concerné.

Je dois t'avouer qu'il est très rare que je me sente organiquement lié au sort de la société, de cette fiction. La santé de cette baudruche m'inquiète beaucoup moins que la mienne. Je pense à mes droits et non à mes devoirs. La société se doit à moi et non l'inverse. Je ne me demande pas ce que je peux faire pour elle, comme tu aimes rappeler que Kennedy le prescrivait, mais ce qu'elle peut faire pour moi ; et comment repenser la structure pour qu'elle concoure à ma vitalité.

Égoïste, m'appellerais-tu. Égoïste te vient si souvent aux lèvres qu'il semble que quelque chose te chatouille de ce côté-là.

Dans la foulée tu demandes si j'ai des enfants, et voilà tu as l'explication. Si j'en avais, je serais plus responsable. Tu as tout compris.

Tu n'as rien compris mais effleures un point. Car il est bien vrai que toi tu penses en père. Même fils tu pensais en père. Tu te projetais comme père – de famille, de l'entreprise, de la nation. Je n'ai jamais pensé en père, pas plus aujourd'hui qu'hier. La société n'est pas ma famille. La société ne me regarde pas. Elle est ta chose. Elle t'appartient.

Mais qui est « je » ? Qui suis-je ?

Qui suis-je pour te malmener ainsi ? Pour prétendre détailler tes rouages mieux que tu ne saurais le faire, te connaître mieux que tu ne te connais ?

Qui suis-je surtout pour m'exempter des traits que je t'attribue ? Je est-il si distinct de tu ? Je n'écris pas depuis un camp de Roms, tu t'en doutes. Depuis vingt pages c'est ce que tu te dis. Et depuis dix tu ne songes plus qu'à me retourner le compliment, me retourner le tutoiement, m'enserrer à mon tour dans le tu bourgeois.

De fait, retournant la lampe-torche vers moi, tu découvrirais de quoi me la boucler.

Tu découvrirais que je suis propriétaire d'un bien immobilier sis dans le onzième arrondissement parisien acquis pour la somme de 295000 euros en 2008. Acquisition rendue possible par un emprunt bientôt remboursé, par la vente d'un appartement nantais offert par mon père après son divorce, et un succès littéraire aux retombées financières exponentielles – la vente appelle la vente qui appelle l'adaptation cinéma qui etc. Ce foncier déjà suffisant s'étoffe de revenus réguliers et confortables. Ces quinze dernières années, j'ai déclaré en moyenne au fisc 40000 euros.

En somme je ne m'emmerde pas.

Mon compte en banque et mon patrimoine dessinent un cadre bourgeois qui devrait m'assigner à un cadre de pensée bourgeois. Ce n'est pas le cas. J'appartiens à une classe supérieure dont je persiste à envisager, sinon souhaiter, la destitution. Je suis propriétaire et je délégitime la propriété. Les jours de grande morgue il ne faut pas me servir trop de pintes pour que je préconise son abolition.

Je ne m'emmerde vraiment pas. Je concède une exception à ma théorie de la corrélation serrée entre condition et système d'opinions, entre position et position, et c'est moi. J'ose me compter parmi les rares individus dont la pensée n'est pas la stricte projection de leurs intérêts de classe.

Toi tu résous la contradiction en l'annulant. Il n'y a pas de contradiction, il y a juste que je mens, ou me mens. Je suis insincère lorsque je fustige la propriété. Je suis hypocrite – tu vois l'hypocrisie partout, accoutumé que tu es à la traquer dans ton milieu saturé de codes singés sans foi. Au fond de moi, tout simulacre levé, je pense bourgeois. Je pense comme ma classe me conditionne à penser.

Fin de ton analyse.

Une des modalités de ta bêtise est de bloquer la pensée à l'échelon moral, c'est-à-dire en deçà de la pensée. Penser c'est toujours penser le réel et le filet de pêche moral attrape peu du réel. Trop grosses mailles, poisson trop fin. Le réel est une sardine.

Pourtant tu persistes dans ce registre. Tu parles de mauvaise conscience. Ma mauvaise conscience de propriétaire s'absout dans des postures marxistes. Cela se défend. Cela se défendrait si j'étais sujet à la mauvaise conscience sociale. Or je ne me sens pas comptable de mes bénéfices. N'y étant pour rien, je n'incline pas davantage à me déshonorer qu'à m'honorer de cet argent que je n'ai pas voulu – moi je voulais écrire pour manger et manger pour écrire et ainsi de suite jusqu'à ma mort à La Roche-sur-Yon –, de ces revenus entièrement imputables à l'arbitraire répartition des richesses au sein d'une société dont je réprouve l'arbitraire.

Ce qui est un peu facile, redirais-tu. Mais puisque ce discours ne mange pas de pain, pourquoi ne pas t'accorder, toi d'une condition égale, la même facilité rhétorique ? Pourquoi n'adoptes-tu pas la flatteuse et commode posture du bourgeois révolutionnaire ?

Ta réponse est que tu es plus honnête, voilà tout. Dans ta chanson de geste c'est toi le héros, et moi le vilain.

Le vilain petit bourgeois honteux.

Laissons la morale et pensons. Si le réel est une sardine, affinons le filet. Voyons de plus près.

De plus près, mon système d'opinions est en fait lié, peu ou prou, à ma condition.

J'ai décrit mon cadre à gros traits : habitat, argent. Ce cadre n'est pas neutre, beaucoup d'entre toi possèdent moins que ça, mais à ce tableau je dois ajouter des données que j'embrasserai sous le nom d'habitus, prenant mes aises avec l'acception académique du concept. Il y a le cadre de vie et puis il y a le train de vie, le train qu'on mène. Or mon train de vie est un TER – bien qu'appartenant à la France TGV chérie par les argentiers. Mon train de vie est très en dessous de mon patrimoine.

Observons-moi.

Observons que ma non-paternité, en plus d'aggraver mon irresponsabilité et de me dispenser des sermons normatifs et des rendez-vous avec le proviseur pour forcer une inscription, réduit au minimum les gestes de consommation et les contacts avec les institutions, médecine école banque conservatoire de danse. Tout remonté soit-il contre la société, un homme, s'il est père, compose avec elle. La vie de famille embourgeoise l'habitus, ma non-vie de famille prolonge un habitus étudiant dont il fut très clair très tôt — et pourquoi fut-ce si clair si tôt ? — que je ne ferais rien pour m'en arracher.

Observons ensuite que mon appartement onéreux n'est jamais qu'un 40 mètres carré. En serais-je seulement le locataire qu'il aurait la même morphologie, induirait les mêmes pratiques, la même débrouille, les mêmes chaises pliantes pour faire de la place entre deux visites, la même vaisselle fonctionnelle, le même mobilier minimal, la même absence de bibelots, cadres sous verre, couleurs additionnelles, masque africain.

Ceci n'est pas une justification mais une description.

Ceci n'est pas une recension glorieuse de ma bohème. Je ne tire pas fierté de mes murs écaillés depuis un dégât des eaux. Je n'ai pas été spécialement ravi qu'une fille trouve adorable mon carton Franprix en guise de table de nuit. Et j'apprécie les six semaines par an où cet intérieur est propre, suite à une de mes pulsions de ménage trimestrielles. Je note juste, pour ta gouverne, qu'ici la règle est le sale.

Pour seules connaissances susceptibles de m'accueillir dans une maison cossue, j'ai un couple d'amis profs, un couple d'amis retraités, les parents d'un ami d'extraction haute, et mon père, enrichi par des placements malins et quarante ans de fonction publique non gelée, et au grand dam duquel mon argent dort sur un compte de la Banque postale.

Je ne voyage jamais (pas assez con pour ça, comme Beckett), et mes seules vacances tarifées me voient investir deux semaines un appartement loué dans une ville balnéaire de prestige médian (Royan) ou nul (Argelès).

Mes loisirs principaux coûtent peu, Internet et les métiers cumulés d'écrivain et de critique me donnant accès gratuit à une bonne proportion des films, livres, albums de musique, pièces de théâtre que je consomme.

Mon budget service se limite au taxi, où mon aise financière me jette sans scrupule aux heures où le métro ne circule plus, et à de rares restaurants de moyenne gamme. Je n'ai pas d'abonnement Uber, je ne commande pas de sushis, je ne rémunère aucun coach de gym ou prof de bikram yoga ou leader d'un teambuilding culinaire. Je n'ai même pas acquis un tee-shirt Kalenji pour absorber optimalement la sueur de mes footings gratuits autour du lac de la porte Dorée.

Si je n'ai pas le permis, c'est d'abord pour ne pas m'encombrer d'une voiture, et des contraintes, dépenses et assurances afférentes.

Mes courses au Carrefour City ou au Monoprix de l'avenue Ledru-Rollin se complètent depuis peu d'escapades au La Vie claire, sur la suggestion d'Isabelle qui s'inquiète de me voir, je cite, manger de la merde. Cette mention ne devant pas laisser imaginer que ladite Isabelle entre dans la catégorie trompe-l'œil de bobo. Émancipée d'une enfance prolétaire par son métier de prof en voie de prolétarisation, elle bouffe, je me cite, autant de la merde que moi.

À mon habitude de me vêtir chez H&M ou Celio, je ne fais d'exception que pour les vestes et manteaux (un par quinquennat), que j'achète chers et donc durables pour repousser le moment de retourner dans ces espaces marchands qui, crois-moi si tu veux, raidissent instantanément mes cervicales.

Hypothèse provisoire : mon habitus non bourgeois prime sur ma condition bourgeoise dans la formation de mon système d'opinions.

Mais pourquoi une telle disjonction ? Qu'est-ce qui a fait qu'accédant à la condition bourgeoise, je n'en ai pas épousé l'habitus ?

Avant tout, tu ne m'as pas fait envie. La publication m'a ouvert des portes sur tes intérieurs, puisque tu étais à tous les postes dans l'édition, autant que dans le cinéma et les médias où j'ai mis un orteil, et tu ne m'a pas fait envie.

T'ayant perdu de vue à la fin du lycée, les années suivantes mon aversion était devenue abstraite, superficiellement politique. Et voilà que tu t'incarnais à nouveau. Tu étais journaliste, metteuse en scène, producteur, scénariste, attachée de presse d'un théâtre, apporteur de projets chez Flammarion, chroniqueuse bien-être dans un talk-show. Tes conjoints ou compagnes, s'ils ne bricolaient pas aussi dans la culture et les médias, évoluaient rarement plus bas. En quinze ans, tu n'avais changé qu'à raison des fluctuations de la mode. Toujours responsable, désormais père ou mère ou programmant de le devenir, toujours paternaliste.

Père ou mère mais capable d'en rire. Capable de vanner tes enfants, ou de plaisanter sur ta grossesse, citant au besoin un sketch démystificateur de Florence Foresti.

L'humour est le meilleur de toi.

Je note que tes deux domaines d'excellence, tes deux pierres de salut, le comique et l'actorat, impliquent et/ou produisent un dérèglement du vrai.

J'en connais parmi toi qui, au lieu de s'acharner en vain dans la littérature, inconcevable sans un rapport viscéral au vrai, eussent cent fois plus brillé en clown. Ou en comédien. J'en connais

63

d'autres, cinéastes, pour qui il serait encore temps de renoncer aux drames où éclate leur inconsistance, pour se spécialiser dans des comédies qui la magnifient en légèreté. Par l'oblique du rire et du jeu, ta pensée à côté de la plaque se sublime en décalage. Tu étais stupide, te voilà décalé. Tous tes gestes étaient faux, te voilà burlesque.

Quand ta légèreté ne m'avait pas encore lassé, ton vide pas encore navré, je ne m'interdisais pas de rire. Je m'ajustais à ta désinvolture raffinée, celle qui souvent désarme l'impétrant d'abord résolu à en découdre. Mais jamais au point de m'assimiler en adoptant ton ethos ou de me laisser adopter par toi, ce à quoi tu étais tout disposé, ta classe étant très hospitalière aux petites starlettes de la culture.

Bien sûr, ta fréquentation a rembourré mon cadre d'alors — studio loué, célibat, lit-canapé, bouffe sous plastique, amis précaires, tarifs réduits, pass Navigo — d'une doublure bourgeoise, faite de déjeuners dans le sixième — note de frais —, de rares dîners nappés avec plan de table et servante philippine, de briefings d'émission chez Costes, d'après-Salon du livre à la Coupole, de pots de générale au Rond-Point, de buffets vin-charcuterie italienne dans ton loft. Simplement je m'en suis tenu au minimum, au minimum professionnel.

Il est bien vrai, et crucial, que j'avais les moyens de cette distance. Le cumul de mes droits d'auteur et piges me préservait du besoin et donc d'une dépendance à toi qui à terme se fût immanquablement convertie en allégeance, le besoin finissant par se prendre pour une affinité, la nécessité pour une vertu – c'est ainsi que sans forcer, tout en nonchalance, tu achètes notre silence, notre complaisance. S'agissant de toi, mes idées, mes sensations, non biaisées par la subordination économique, sont restées claires, sont restées clairement réfractaires. Tu m'es témoin qu'en général j'ai écourté nos entrevues ; qu'à la sociabilité obligée – un éditeur ne sait pas sceller un contrat sans déjeuner – je n'ai jamais offert un prolongement amical.

Avec toi je n'ai pas donné suite.

D'ailleurs tout bien considéré tu ne m'as pas fait si bon accueil. Tu n'as rétribué que ma partie molle. Le noyau dur, à peine lu et déficitaire, est resté lettre morte. Mon jansénisme, mon anarchisme, tu as pris soin de ne pas les relever, ou bien en les folklorisant. Présentateur du Cercle, l'émission de Canal Cinéma, tu m'appelais le gauchiste. Autour de la table on identifiait le gay truculent, l'ambassadrice du bon sens, le cinéphile autiste, l'élégante pointue, le réac débonnaire, et le gauchiste. Étiquette sans contenu. Marque. Tu te serais bien gardé d'entrer dans le dur – tout comme moi, amolli, poli, enrôlé dans le pacte tacite de non-agression que nouent des intérêts communs.

Une tension pourtant n'a jamais été dissipée. Une méfiance sourde. Je ne te sentais pas, tu ne me sentais pas. Qu'est-ce que chacun de nos corps reniflait chez l'autre qui lui déplaisait tant ?

Était-ce l'immémoriale inimitié entre la petite bourgeoisie et le cran social supérieur ?

Était-ce, plus profondément, mon ascendance populaire, vendéenne, rurale, qui indisposait ton odorat délicat ? Était-ce sa persistance en moi qui rechignait à faire plus ample camaraderie ?

Je ne parle pas du scrupule à trahir les siens que certains ressassent de livre en livre. Le sentiment de trahison de classe présuppose une loyauté à ses géniteurs que les miens, de géniteurs, ne m'ont guère inculquée. Bien étranges, ou complaisants, ceux qui s'imaginent trahir, en s'embourgeoisant, des parents qui ont œuvré à leur embourgeoisement.

Au vrai, ne se sent traître que celui qui a trahi. Celui qui, d'extraction à peu près populaire, en a gommé, activement ou non, les stigmates. J'en ai vu tant des comme ça, j'ai vu tant de mes jumeaux sociologiques, rejetons de la classe moyenne de gauche provinciale, rêver d'épouser tes codes et tes attitudes, d'acquérir la science de ta décontraction, de prendre les poses ténébreusement apprêtées des Smiths sur le papier glacé des *Inrockuptibles* période versaillaise dont la lecture ostensible les distinguait en salle de perm'. Aussi souvent que possible ils montaient à Paris, ton barycentre. Monter à Paris était à la fois signe et moyen d'une élévation sociale. Un jour ils s'y installeraient pour de bon, décrocheraient une place dans la culture, peut-être se feraient embaucher aux *Inrocks*, peut-être en deviendraient le rédacteur en chef, se laisseraient pousser la barbe en 2012, la raseraient en 2020, et de fil en aiguille, de barbe en ourlet, deviendraient une variante de toi. Une variante moins héritée, moins dotée, moins entrepreneuriale, moins mondialisée, parfois bloquée à la case prof, mais leurs goûts seraient, à quelques subtilités près qui ne t'échapperaient pas, à quelques écarts près entre capital natif et capital acquis, les mêmes que les tiens. Devenus toi à peu de choses près, ils prendraient pour eux la complainte des transclasses des Ernaux, Eribon, Louis et compagnie. Objectivement convertis au charme discret de la vie libérale, ils voteraient à gauche en souvenir ému de leur base sociologique. Dans l'orbe du PS de droite ils te croiseraient.

Je n'ai pas été exempt de ces rêveries ascensionnelles. Ce n'est jamais sans une petite vibration distinctive que je racontais à des copains de lycée ou de fac un week-end à Paris d'où je rapportais des disques dénichés dans une boutique des Champs ou de Bastille. Je vibrais de dire les Champs, et Bastille plutôt que place de la.

Simplement mon corps idéal n'était pas celui de Morrissey, mais de Strummer. De Joe Strummer, chanteur édenté des Clash.

Si Joe n'avait pas été charismatique, s'il n'avait pas tenu sa clope comme un cow-boy racé, si la moindre des trente-six minutes du premier album de son groupe ne m'avait pas enjoué, s'il n'avait eu que des dents pourries par la bière low-cost des clubs de punk londoniens, j'aurais certes été moins fan. Il reste que mon corps-étalon avait ces dents-là. Et gueulait comme ça. S'écartelait comme ça. S'électrocutait en émettant ce chant-là porté par cette musique-là, épaisse et bruyante.

Parmi toi je n'ai rencontré aucun amateur de punk-rock — tout juste parfois une tendresse hautaine pour cette belle énergie rebelle, celle qu'on porte à un petit garçon turbulent.

Notre discorde est physiologique.

Un jour dans l'émission susnommée, tu as plaisanté sur le physique de photo de camionneur de Karine Viard, et moi qu'elle érotise j'ai pensé : je suis un camionneur. Les corps populaires m'agréent parce que pour une part j'en procède. En les désirant c'est mon corps populaire que j'active.

Je n'ai pas résisté à ton charme par loyauté morale à mes origines. Je n'ai pas, à proprement parler, résisté. Irrésistiblement j'ai suivi ma pente. Mon corps où persistent des particules populaires a déroulé son programme.

Voici que j'avance droit vers le ridicule de Montebourg évoquant à l'envi son père charcutier, ou des élus flattant le cul des vaches au Salon de l'agriculture. Ou de toi mentionnant la nounou congolaise de ton fils pour me prouver que tu fréquentes des pauvres.

Reculons vite.

Parlons, plus modérément, d'une composante populaire de mon corps. Mon corps grandi dans le confort recuit du centre-ville nantais, plié sans mal à la discipline de l'étude, rompu à l'alexandrin racinien autant qu'aux sophistications rohmeriennes, donnant parfois dans la préciosité et glorifiant la boue plus souvent qu'il n'y patauge, possède aussi des ressources de crudité d'où s'infèrent son goût pour le cinéma naturaliste, les blagues de cul sans pincettes, les sketchs poisseux de Bigard, les cendriers Ricard des PMU, la saleté bienheureuse des cochons, les jurons de ma mère, le sec laconisme ouvrier, les manifs merguez, les kops de supporters, et me font préférer une soirée mousse avec la bande de Touche pas à mon poste dont les piaillements t'irritent, à un brunch avec ta sainte patronne Françoise Nyssen.

Mais là encore ces confidences n'engagent que moi, tu n'es pas forcé de me croire. C'est ma parole contre ton soupçon.

L'essentiel n'est pas là.

L'essentiel est que j'ai été exposé trop tard à ton charme pour y céder. Je n'étais plus disponible. Si le corps est une construction, il est une maison, et en 2000 la mienne est bâtie, crépie. Et verrouillée par une grosse décennie à l'ombre des facs sans débouché, parmi les activistes du milieu punk, les collectifs d'art désargentés, les jeunes profs dépêchés sur les fronts périphériques, les intérimaires, les intermittents, les temps partiels, la plupart issus de la petite classe moyenne mais pris dans une nasse sociale où prend fin l'ascension de leur lignée.

Cause et conséquence, notre adhésion conditionnée à la gauche se radicalise, puis s'aiguise encore au sein des troupes contestataires dont nous fournissons l'essentiel des troupes. À l'inverse de nos parents finalement loyaux au jeu social, aucun destin professionnel ne nous semble viable. Nous ne voulons pas travailler, a minima nous ne voulons pas du marché. Nous passerons des concours de la fonction publique par défaut et pour manger. Ou nous ne passerons rien et nous vivrons de peu. Dans tous les cas nous serons joyeux et en colère.

À la jonction de la joie et de la colère, de l'inconséquence et de l'implication, de l'indifférence immature et de la raison émancipatrice, nous lisons. Je lis beaucoup plus que je ne lutte. Lire est ma façon, certes bien commode je l'ai longuement raconté par ailleurs, de lutter. En satellite de ma planète littéraire où le roman règne, je lis les grands textes critiques de la seconde moitié du XXe, demi-siècle d'or de la pensée française, et c'est chargé de ce gros bagage que j'arrive à toi à l'aube des années 2000. Tu ne feras pas contrepoids. Tu ne fais pas le poids. Tes intellectuels organiques ne pèsent pas lourd face à mes intellectuels critiques. Ni ma condition néo-bourgeoise contre des opinions fleuries sur un terreau plus ancien, plus profond.

Sachant que cet écart entre condition et opinion est lui-même l'émanation de ma condition, pour peu que j'en affine la description.

Mes revenus très supérieurs à la moyenne, je ne les tire pas d'une boîte de production, d'un cabinet de neurologue, d'un site de rencontres sans sexe, d'une agence de communication, de mes prestations de développeur web, de conseils en stratégie, d'une promotion au rang de directrice de la culture dans une communauté d'agglo, mais des textes de factures diverses produits en flux tendu depuis quinze ans. Cette activité ne fait pas de moi une créature céleste soustraite aux déterminations comme d'autres à la pesanteur, mais elle m'assigne à une position sociale, celle de l'intellectuel qui, bien que déterminée et caractérisée, bien qu'encastrée dans la condition bourgeoise, est en partie une non-position.

Non content de travailler à domicile, ce qui distend la corde qui le lie au monde social, l'intellectuel manipule de la non-matière ; il brasse à plein temps du rien. Mon auto-entreprise est une usine à gaz. Si documentés se prétendent mes textes, si maculés de réel, cette moindre incarnation génère des dérèglements. Claviotant horssol, j'en viens à prendre les mots pour des choses, à ne considérer les choses qu'autant qu'elles souffrent une mise en mots.

L'écart entre ma condition et ma pensée tient de la perversité. Ma vie textuelle. Ma vie textuelle fait de moi un déviant. Elle m'intègre à la tripotée de tordus pour lesquels la pensée – sa force, sa rigueur, sa justesse, sa beauté – est un enjeu en soi. Les pensées sont des affects et en moi elles sont particulièrement affectantes. L'intellectuel est celui qu'une pensée émeut davantage qu'un

panorama de montagne – comme le mathémati-
cien s'exalte devant un théorème, le mécanicien
devant un moteur de Lamborghini. Celui pour
qui, dit Hegel, « même la pensée criminelle d'un
bandit est plus grande et plus noble que toutes
les merveilles du ciel ». Pour qui la pensée a une
consistance propre, matérielle, qui relègue au
second plan la matière à laquelle elle renvoie.
Je suis donc le genre de type qui peut rêver des
années sur la sortie de l'euro sans jamais songer
que le bordel subséquent fragiliserait ses rentes.

Je ne suis pas désintéressé, je suis tordu, je suis
bizarrement foutu. Contre mes intérêts directs
je privilégie des intérêts obliques comme le gain
d'euphorie quand je m'embarque dans un développement complexe et lumineux, quand une
formulation fait l'effet d'une torche qui, comme
pointée sur un renard planqué derrière la nuit,
éclaire un point de réel.

Ce n'est pas une hauteur de vue, c'est une
complexion ; une complexion elle-même conditionnée. L'intellectuel n'est pas plus né dans la
pensée que dans un chou. Il a été coulé dans un
moule sans usage. Par mon milieu mon père mon
époque mon foie mon cerveau, j'étais programmé
pour penser à côté de mes pompes.

Žižek analyse l'anomalie apparente du soutien
de l'intellectuel de gauche radicale à des actions

politiques propres à renverser un ordre qui assure son confort. Le fait-il par masochisme ? Trop facile – aussi facile que de corréler cette pulsion louche à la mauvaise conscience. En accompagnant ces luttes de la voix et parfois des pieds, l'intellectuel ne joue pas contre son confort mais le consolide, suggère Žižek. En radicalisant ces préconisations, il les rend irréalisables et ainsi travaille à la pérennité de l'existant – de son existence bourgeoise. L'indépassable « soyez réalistes demandez l'impossible » serait à prendre au pied de la lettre. C'est par réalisme, par souci de soi bien compris, que le bourgeois radical demande l'impossible.

L'hypothèse a la brutale rectitude de la flèche dans le mille. Oui j'ai beau jeu de palabrer sur la fin de la propriété, bien conscient qu'elle n'est pas pour demain, ni mon expropriation.

Mais si tous les intellectuels radicaux sont bourgeois, tous les bourgeois ne sont pas des radicaux. Il demeure que j'aime en soi, indépendamment de tout calcul de préservation, la pensée que la propriété est du vol. D'ailleurs elle m'excite plus que je n'y adhère – si toute possession est indue, symétriquement rien n'est du vol. Elle me plaît poétiquement, chrétiennement. Intellectuel pervers, me frotter à cette pensée m'excite plus qu'acquérir un terrain. J'aime mieux baguenauder parmi les énoncés radicaux que parmi toi ; papillonner de Gramsci en Foucault, de

Vanegeim en Chauvier, de Rancière en Quintane, joyeusement affecté par leurs fantaisies, aimant les relayer, les discuter, les faire miennes, les cuisiner à ma sauce pour mieux les déguster, et cette promenade parmi leurs phrases délimite un pays que j'habite plus sensiblement que mon appartement. Je ne remplacerai pas les quatre lattes défoncées de mon parquet, mais je me sentirai personnellement blessé par un texte qui défonce Deleuze.

Marx dirait que je marche sur la tête.

Et Marx retombera, lui, sur ses pattes. Dans mon exception il trouvera finalement confirmation de la règle voulant qu'une pensée s'énonce depuis une position sociale, et pour la justifier. La dissociation entre ma condition et mon opinion s'infère de mon quotidien d'intellectuel dissocié.

Dissocié, j'ai d'abord affaire à des mots. Dans mon enclave livresque, je suis moins exposé à tes actes qu'à tes paroles. N'étant pas hôtesse d'accueil ou livreur Deliveroo, je n'ai pas à subir tes forfaitures, tes arbitrages iniques, ta sauvagerie mouchetée, ta routine oppressive, tes licenciements profitables, je ne subis que tes goûts et tes opinions. Partant, je retiens de toi les entorses à la justesse plutôt qu'à la justice. Dans les présentes pages je ne pointe pas tant tes exactions que ta bêtise. Cette focalisation sur la pensée, la sensibilité aiguë à son absence ou à son dévoiement, émane logiquement de ma condition d'intellectuel.

Propriétaire ou non, bourgeois objectif ou non, ma critique de la bourgeoisie ressortit bien à l'idéologie.

Ce raisonnement alambiqué – pervers ? – est tout bonnement incompréhensible depuis l'acception dévoyée de l'idéologie que tu as fini par imposer.

Pour toi, l'idéologie est un corpus de convictions figées, jusqu'au systématisme, à la partialité aveuglante. Sur ces bases erronées, il t'est loisible de tenir le communisme pour l'idéologie prototypique. L'aveuglé en chef, c'est le militant PCF de l'après-guerre. La fin des idéologies dont tu rebats mes oreilles depuis la maternité, c'est la fin du communisme. Qui se fête, et tu ne t'en es pas privé, car, les idéologies finissant, les gouvernants-managers peuvent enfin régir le pays en toute rationalité, sanzidéologie. La fin des idéologies c'est le début de toi, capable de diagnostics non faussés par les biais cognitifs du dogme. Toi tu es pragmatique, tu administres sans a priori, butinant à droite et à gauche des solutions qui marchent en concertation avec des collaborateurs qui n'ont de religion que celle du résultat. Toi tu fais de l'économie, pas de l'idéologie.

Tout ce prêche étant délivré dans l'ignorance plus ou moins feinte qu'il n'y a pas opinion plus ajustée à une position de classe, la tienne, que celle qui professe la fin des opinions ; qu'il n'y a pas de chant plus idéologique que celui de la fin des idéologies.

L'idéologie c'est toi. Marx a inventé le concept pour toi.

La moindre de tes prises de position exprime et révèle ta position. Tu ne me surprends jamais. Tu es d'une constance admirable. Jamais je ne t'entends dire Bakounine quel brio quand même ; ou qu'il faudrait plafonner les loyers parisiens et augmenter les droits de succession. Au moins toi tu n'es pas pervers. Dissimulateur tout au plus – et souvent à ton insu, Dieu te pardonne.

Tout président fraîchement élu appelle à l'union. L'union fait la force du pouvoir. C'est le dominant en toi qui chante la ritournelle de la nécessité de transcender les clivages. Tu parles en propriétaire – de la maison France, de la tienne. Un propriétaire non pervers ne souhaite pas la dégradation de ses murs. S'il y donne une réception, il s'assure qu'aucune bagarre n'éclate. À deux avinés qui se prennent le col, il explique que la vodka les égare, que leur opposition est illusoire, qu'on gagnera tous à s'asseoir autour de la table pour faire converger les compétences vers la réussite de cette soirée montée pour conforter l'hôte dans son fauteuil.

La célébration autoréalisatrice de la fin des idéologies est l'idéologie de ceux qui, ayant tout à perdre, craignent le potentiel destructeur des conflits. Tout ce qui pense en toi est pensé pour conserver.

Reste que, à programme économique égal (libérer l'employeur, ficeler l'employé), tu te distingues de la droite dite conservatrice en te prévalant, sur quelques points sociétaux, d'une modernité qu'en d'autres domaines tu usurpes allègrement.

En ce sens la bourgeoisie de province, la vieille droite, la droite catholique, t'est aussi précieuse que son excroissance fasciste. Mourrait-elle que tu t'emploierais à la ressusciter pour continuer à briller par contraste.

Si tu en as été, tu tiens à faire savoir que tu n'en es plus. Enfant de chœur jadis et désormais agnostique tendance Pilates. Scolarisée au lycée Sainte-Marie-de-la-Piété puis conceptrice d'une application de rencontres transgenres. Vainqueur sans vergogne de la compétition scolaire devenu directeur France d'une ONG dévolue à l'alpha-bétisation des Africaines.

De ce passif tradi il te reste parfois un père ou un grand-père dont tu aimes rapporter les horreurs dégoisées en fin de repas de famille. En filigrane de ce récit se dessine celui de ton émancipation. Tu t'es arraché à cela, c'est l'acte 1 de ton épopée politique. L'acte 1 et unique – tu ne pousseras pas plus à gauche. À la force de tes bras tu t'es extirpé de cette naphtaline où blanchissent des patrons ronchons, des patriarches désuets sur le dos desquels tu peux te défausser de l'étiquette bourgeoise. À côté d'eux, ton héraut, élancé d'un lycée jésuite de province vers le nomadisme bancaire, peut passer pour un outsider et titrer son livre-programme Révolution – tu n'as honte de rien. Et s'orner d'une épouse si bien émancipée de sa riche famille de chocolatiers amiennois qu'elle a renoncé à la maison du Touquet.

Ton besoin de Trump et de tous les mufles autoritaires du monde est vital. Privé de ce point de comparaison flatteur, tu passerais à nouveau pour ce que tu es ; pour la fille d'assureur que des pole dance dans les soirées déglingue de l'Essec n'ont pas suffi à évaporer ; pour le fils de notaire bordelais que tu n'as pas cessé d'être en te trémoussant doigts écartés devant Jay-Z à Bercy. Tu n'es pas moins bourgeois que tes pères, tu es juste moins ringard. En 2017 une bourgeoisie en a ringardisé une autre.

Tu es pour l'inscription du droit à l'avortement dans la constitution, pour le mariage gay, pour le mouvement Metoo, pour l'extension de la PMA. Tu es aussi peu raciste, misogyne et homophobe qu'un être humain peut l'être. Combattre n'est pas ton style, parfois tu t'amuses à parodier la rhétorique militante, mais ces combats-ci tu les mènes avec zèle. Sur facebook tu postes des vidéos de cathos jetant l'anathème sur les salopes qui avortent, ou de Kadyrov niant que l'homosexualité existe en Tchétchénie. Tu assortis d'une formule uppercut le retwitt d'une banderole dégueulasse de Civitas ou d'un dessin de Taubira en singe.

Tu es outré.

Tu es confirmé.

À la moindre occasion, tu manifestes ton amitié aux minorités raciales et sexuelles. Tu prends les gens comme ils sont, tu les tolères, tu t'aimes tolérant, tu extrapoles ta tolérance en affinité, tu aimes les homos, tu ris follement de leurs blagues crues et de leurs ragots putassiers. Croisant un Noir, tu es comme Louis CK te peint dans un sketch : génial ! t'emballes-tu. C'est génial que tu sois noir, et que moi blanc je te parle comme si de rien n'était, à ceci près qu'on trouve exceptionnel de se parler comme si de rien n'était.

Tu promeus la mixité, oui de la mixité il en faut, c'est important le mélange. Le conservateur, le réac, le rétrograde, ne veut pas de mélange, il veut une France blanche-blanche, il a un train de retard, la France est multiculturelle c'est sa force, hier encore tu prenais en stage une Soraya.

Je ne te soupçonne pas d'insincérité, sur ce débat sociétal non plus que sur les autres. Qu'une parole soit délivrée sincèrement ou non indiffère l'analyse sociale. Je prends tes paroles comme des faits sociaux. Je les prends comme des actes, et prises comme tels elles sont vraies. Simplement leur vérité est multiple, est au moins double. Je ne pointe par l'écart entre tes mots et tes actes, mais l'écart entre tes mots et tes mots. Entre ce que tu crois dire et ce que tu dis vraiment.

Par exemple de quoi ta mixité est-elle vraiment le nom ? Nomme-t-elle ton désir que tes enfants côtoient des petits pauvres issus de l'immigration ? C'est l'inverse. Tu rêves que des petits pauvres issus de l'immigration, dont le confinement communautaire t'inquiète plus que le tien, côtoient tes enfants. À ton contact, les petits pauvres se stabiliseraient, s'adouciraient. Du moment qu'ils demeurent minoritaires. On connaît tes ruses pour contourner la carte scolaire quand ton quartier n'est pas encore assez gentrifié. Et on commence à comprendre que ton vœu de mixité est un vœu d'ordre.

Tes protestations d'antiracisme participent, pour une part que je te laisse quantifier, d'un calcul spontané de personne en charge ; en charge de la paix civile qui assoit ton magistère. Diviser pour mieux régner, dit-on, mais toi tu règnes aussi par la concorde – dût-elle, le cas échéant, se soutenir d'un ennemi extérieur et de préférence moyen-oriental.

Tu ne veux pas de scandale, tu ne veux pas de conflits. L'hostilité des Blancs envers les Arabes, des Noirs envers les Jaunes, des cathos tradi et des Arabes envers les juifs, crée des zones de tension, et la tension, outre qu'elle gâche des énergies que l'entreprise France gagnerait à optimiser, peut dégénérer en désordre, et le désordre en casse, or le matériel est à toi.

Tu nies la conflictualité pour la faire disparaître. Tu exorcises les discordes dans ta poésie du vivre-ensemble. Tu le célèbres pour qu'il se réalise – et que la paix soit avec toi.

Lancés sur ce chant, tes agents culturels et politiques parlent de faire société, de faire nation, de faire du nous, de nous rassembler autour d'un projet commun. Ce salmigondis unanimiste est la traduction citoyenne de l'esprit corporate de tes boîtes, lui-même imprégné de management sportif, lui-même emprunté à la langue de corps de garde. Ta pulsion conciliatrice a un soubassement autoritaire, et ton président progressiste un fond bonapartiste.

Manifestant ta tolérance aux minorités, tu escomptes un retour de tolérance. Tu leur montres du respect pour les tenir en respect, comme un explorateur amadoue une tribu amazonienne en agitant un mouchoir.

Tu condamnes le racisme des Blancs, le racisme des bourgeois ringards, parce qu'il risque d'énerver les Noirs et les Arabes contre toi. Le bourgeois ringard s'emporte, il jette delhuilesurlefeu en stigmatisant. Toi tu calmes le jeu. Tu délimites des zones de non-agression où t'improviser médiateur. Sur les plateaux de théâtre et de cinéma tu accueilles des acteurs colorés que tu pourras monnayer en subventions auprès de guichets sommés par leur ministre de tutelle de promouvoir la diversité. Diversité est un autre joyau de ta langue euphémistique. Sous cet étendard s'arrondissent tous les angles, s'estompent tous les heurts. C'est au titre de la diversité qu'il y a dix ans ton festival de danse s'est ouvert au hip-hop. Cette année sur l'affiche promotionnelle deux mains dépareillés se serrent.

Ta politique est celle de la main tendue. Si la politique n'est que l'art de conserver le pouvoir, ta différence avec la bourgeoisie ringarde est stratégique. Elle tient au gant de velours dont tu couvres ta main de fer.

Ta différence est peut-être aussi de tempérament. Peut-être es-tu réellement tolérant, on ne sait plus bien, tant ton tempérament et ton intérêt de classe sont inextricables.

Tu es un fait idéologique total.

Les grandes écoles où tu te reproduis lancent des programmes égalité des chances. L'illusion d'une chance égale achète le silence des perdants. Le pauvre ainsi soutenu ne peut plus se plaindre, il ne doit s'en prendre qu'à lui-même, il a eu sa chance.

Tu appelles équité ce pastiche d'égalité.

Aussi bien, tu offres refuge aux élèves périphériques les plus dociles dans des internats d'excellence où ils potasseront tes concours. Tu veux intégrer, tu veux être inclusif, tu offres aux pauvres les plus disciplinés l'aubaine de devenir toi. Mais si chacun devient toi, tu ne seras plus distinct – et qui ramassera les poubelles ? Il faut donc que tous réussissent mais pas tous. L'école te sert de trieuse, elle est un casting géant dont tu tires, selon un numerus clausus officieux, une poignée de pauvres méritants.

Méritant d'accéder à ton rang.

La bourgeoisie de fer se raconte moins d'histoires, elle ne fait pas mystère de sa volonté de maintenir les gueux à leur place, en usant de la force au besoin. Elle est prête au combat ; son envie d'en découdre s'écoule en formules hargneuses et bave aux lèvres. Si elle s'écoutait, elle interdirait les grèves – toi tu te contentes de les rendre impossibles ou inoffensives. Elle mène des croisades néo-occidentales. Elle annonce/ espère des guerres civiles.

Ne te vois pas si beau en comparaison de la bourgeoisie ringarde, la bourgeoisie Valeurs actuelles : elle est peut-être tout bonnement plus courageuse que toi, dont la sacro-sainte bienveillance est une métabolisation de la peur. Tu m'as souvent confié ne pas aimer le conflit, mais c'est d'abord que tu le crains. Quand autour de toi ça s'invective tu te bouches les oreilles, comme Charlot pour conjurer le bruit qui va réveiller le fauve dont il partage la cage.

Avec un frotteur dans le métro tu as essayé de dialoguer, m'as-tu raconté. Il profitait du tassement de l'heure de pointe pour se coller à ton cul, tu ne l'as pas giflé, tu l'as rattrapé dans le couloir pour lui demander quelle pulsion l'avait pris, quel plaisir il y trouvait, et s'il mesurait le traumatisme qu'il pouvait provoquer. Tu donnes dans la psychologie, toute ta modernité est là. Tu as l'intelligence progressiste de savoir la manière forte inefficace. Entre la droite dure et toi, il y a d'abord une opposition de méthode. À son hard power tu préfères le soft. Pour circonvenir les gueux, tu les soignes. La bourgeoisie de fer est un flic, ta bourgeoisie de velours est un médecin. Un éducateur. Tu n'accables pas le pauvre, tu l'éduques. Tu ne le punis pas, tu l'aides à intégrer le cercle des gens raisonnables comme toi.

Toi, tu es dans l'écoute. Il faut savoir entendre, ressasses-tu en écho à Cyrulnik, dont, grand mal te fasse, tu préfères les livres aux miens. Dans ton bureau de DRH, tu sais entendre les requêtes d'un licencié. Tu ne le recaseras pas à 500 kilomètres de l'usine délocalisée sans son accord. Pour toi, le dialogue importe avant tout. Maintenir le dialogue. Comme un négociateur du GIGN avec un forcené.

Tu manages doux : un excès de dureté ferait fuir les pauvres, et alors tu ne réponds plus d'eux. Tes agents culturels et politiques veulent du lien social, veulent faire lien, car un pauvre détaché est livré à lui-même, c'est-à-dire en danger mais surtout dangereux. Un pauvre hors de vue est livré à ses instincts, on ne peut plus jurer de lui, de sa civilité, de sa docilité, il peut se retourner contre toi. Les 200000 élèves sortis chaque année du système scolaire sans rien t'interpellent. Tu t'inquiètes pour eux, pour toi. Ton inquiétude pour le radicalisé est la figure radicale de cette peur.

Tu lances des programmes de déradicalisation, mandatant des psys et des éducateurs auprès de cette jeunesse séparatiste que la bourgeoisie de fer veut taper et expulser quand toi tu veux la protéger pour t'en protéger.

Tu as envie de te rendre utile. À la société, faut-il comprendre, mais donc à toi. Un jour, croyant établir une complicité avec moi, tu m'apprends que tu fais partie de la réserve républicaine. Tu t'arrangeras pour te libérer de ton agence de communication de crise quelques heures par mois que tu offriras à des classes de Seine-Saint-Denis, auxquelles tu raconteras comment toi aussi tu fus un jeune rebelle avant de voyager partout dans le monde et de mesurer le prix de notre pays et le prix de ses valeurs, qu'alors tu t'es promis de toujours protéger. Revendiquer est juste si c'est dans un souci de préservation et non de destruction.

À ce moment de la messe, tu pourrais citer Alain Finkielkraut citant Camus, toujours la même phrase sur le monde qu'il ne s'agit plus de défaire, mais d'empêcher qu'il se défasse. Voici que ton repoussoir réac et toi, œuvrant de concert à ce que les coutures de la société ne craquent pas, vous vous découvrez du même côté.

Du même côté du manche.

Tu méprises un peu les profs, parfois moins diplômés que toi et toujours moins riches. Tu crains que leur méprisable manque d'ambition dévalue ta progéniture pour laquelle tu nourris d'autres ambitions que celle de la voir épanouie à l'école Montessori. Ton assiduité aux réunions de fin de trimestre tient d'un sens des responsabilités parentales qui n'a pas fléchi avec le divorce, mais aussi de l'envie de titiller la communauté éducative sur le management du collège qui prive ta fille d'un prof de russe depuis la Toussaint, ou sur le programme de maths guère avancé à deux mois du brevet. Ce n'est pas un procès, tu t'interroges c'est tout. Mais si rien n'est fait, tu prendras moins de pincettes. Tu sortiras un tableau des heures non assurées depuis septembre. Tu te réjouiras à haute voix de la suppression du jour de carence. Contrariée, ta douceur se durcit. Tu veux bien être gentil mais ça marche dans les deux sens. Et s'il faut se résigner au crève-cœur d'un passage dans le privé, tu t'y résigneras.

Or à l'heure où la maison se fissure, tu sais quand même gré aux fonctionnaires de colmater les brèches ; de faire tampon entre les classes dangereuses et toi. Tu es pour réduire la dépense publique, mais pas le nombre d'infirmières ni de flics ni de profs – tout ça amalgamé dans ton esprit, soin éducation répression tout est bon, à ton maintien tout est bon.

Avec les profs tu la mets en sourdine, comme un colon cesse de sadiser un boy dont l'expertise lui devient indispensable en pleine jungle. Le ton est désormais inclusif car tu comptes sur eux. Pendant mes années prof, c'est souvent que tu m'applaudissais d'exercer ce métier admirable et si utile. Mais alors pourquoi n'avoir jamais envisagé de l'exercer ? Pourquoi t'être inscrit dans une école de commerce des Hauts-de-Seine plutôt que dans une fac de sciences humaines bourrée d'amiante ? Pourquoi avoir bifurqué vers la communication à la fin de ton cursus de lettres ? Tu as perdu une occasion unique d'être admirable.

Surtout, tu adorais que je te rassure sur le compte des élèves sensibles. Tu voulais m'entendre dire qu'ils étaient récupérables, éducables, corvéables. Tu te jetais sur Entre les murs, tu en redemandais sur leur drôlerie, leur vivacité, leur énergie, car s'ils étaient drôles, vifs et énergiques, ils étaient encore parmi nous, on ne les avait pas encore perdus, ils n'étaient pas encore tout à fait disposés à t'égorger.

Parfois ta main tendue se prolonge d'un micro enclin à recueillir le récit exemplaire des méritants de banlieue hissés vers toi. Exemplaire de ta thèse paradigmatique : la volonté fait sauter les barrières sociales, n'en déplaise à monsieur Bourdieu. Il faut cesser de se poser en victime (plutôt en coupable ?). L'issue est dans l'initiative, non dans la plainte ; dans la motivation et non le glaive.

Ton organe audiovisuel officiel frétille de recevoir les trois lauréats noirs et arabes d'un concours d'éloquence. Pendant un an une caméra a suivi leur groupe d'étudiants de banlieue se démenant pour apprendre ta langue. Ta langue que tu ne pratiques plus. Tu aimes que les pauvres accèdent à la culture classique que tu ne fréquentes pas ; qu'ils lisent Flaubert pendant que tu lis Carrère, si tant est que tu lises encore.

Tu crois à la culture comme vecteur de progrès. De progrès des pauvres. Ce matin au téléphone, tu me proposais une rencontre sur l'écriture dans un lycée pro du Val-d'Oise. Tu t'appelais Garance, ta boîte accomplissait une prestation pour la région Île-de-France et mon sec refus t'a fait dégringoler de ta certitude que j'étais l'homme indiqué pour aller témoigner de ta sollicitude bourgeoise aux déshérités.

Dix ans après tu me demandes encore ce que les jeunes acteurs dressés d'Entre les murs sont devenus sur cette belle lancée ? Ont-ils parachevé leur mise aux normes, leur blanchissement ? Je réponds que je n'ai pas de nouvelles – en aurais-je que je ne te les rapporterais pas –, sauf d'un que j'ai reconnu sur une vidéo de propagande de Daech. J'aime bien décevoir tes rêves de confort.

J'aime bien t'emmerder.

Combien de tes fictions et documentaires captent des pauvres rattrapés grâce à un atelier d'écriture, une prof philanthrope, un séjour à la ferme, un voyage à Rome, une journée à Auschwitz ? Rattraper est un mot de proviseur que tu as fait tien. Le jeune pauvre en fuite est rattrapé par le théâtre comme un évadé par la patrouille. Ramené dans le giron de la République salariale par des éducateurs valeureux, secondé par des flics s'il le faut, car parfois il le faut. Ou par une juge comme celle du film de Bercot, au terme violoneux duquel le jeune prolo qui ne s'aimait pas a désormais *la tête haute*. Le jeune prolo qui ne t'aimait pas te sourit. Tu lui rends ce sourire dans le plan de fin qui te soulage. Nous pouvons tous vivre ensemble, dans la paix et l'inégalité. Rendus à notre commune humanité, car au fond nous sommes tous pareils. Riches ou pauvres, Noirs ou Blancs nous sommes tous des humains et quelque part ça t'arrange.

Le répertoire affligé des clichés dans une œuvre est ton axe critique préféré : tel personnage de roman est un cliché ambulant, telle comédie romantique accumule les poncifs sur l'Italie, etc. Et maintes fois j'ai pu observer le surcroît d'énergie que tu mets à condamner l'incarnation clicheteuse d'un prolo, pointant un jeune de banlieue caricatural dans telle série, détestant que les premiers films de Dumont imposent une version obscure des gens du Nord déjà assez peu éclairés.

Je m'associerais à la démarche si je ne sentais pas que, dénonçant un cliché de pauvre, c'est de tes propres clichés que tu te prémunis. C'est ton regard que tu reportes sur le cinéaste. Tu n'as jamais aussi bien stabyloté ton appartenance de classe qu'en me confiant détester, dans Merci patron, les vannes de Ruffin sur les Klur qu'il embarque dans une farce aux dépens de Bernard Arnault et ses sbires. Il faut être un bourgeois pour s'astreindre, vis-à-vis des pauvres, à des marques de respect que deux égaux n'ont nul besoin de se témoigner. Mon amie Joy, bourgeoise sauvée par une lucidité si peu bourgeoise, se navre parfois du supplément de politesse qu'elle réserve spontanément aux classes inférieures. Zèle de nantie. Suramabilité de dame patronnesse. Marqueur de classe. Malédiction. Joy maudit sa naissance. Toi tu la vois comme une chance que tu souhaites à tous. Un monde parfait serait peuplé de toi.

Il y a plus. Il faut te prendre au mot quand tu dis ne plus vouloir voir de tels clichés. Tu n'aimes pas voir un pauvre. Plus précisément tu n'aimes pas qu'un pauvre ait une gueule de pauvre car cette gueule crache à la tienne qu'une situation sociale ne détermine pas seulement les vêtements, l'habitat, la voiture, les lieux de vacances ou de non-vacances. Qu'elle marque les corps aussi, les marque à vie. Qu'elle marque les dents. Qu'un pauvre a des cheveux de pauvre, et toi des cheveux de bourgeois jusque dans le soin que tu mets à les négliger.

Ton plaidoyer pour l'irréductibilité du prolo au cliché est pro domo. Si on le met dans une case, c'est qu'il y a des cases, et que tu en occupes une. Tu n'aimes pas les étiquettes parce que tu n'aimes pas qu'on t'étiquette. Tu n'aimes pas être reconnu pour ce que tu es.

Si ce n'est par tes pairs.

Par tes semblables il t'importe grandement d'être reconnu pour un semblable. Ton capital s'en trouve augmenté, au prix d'un jeu de valorisation mutuelle.

Tu vois très bien de quoi je parle.

Tu as boycotté le débat sur l'identité nationale initié par Sarkozy – dont on n'a jamais démêlé si tu le détestais pour sa passion dérégulatrice ou pour ses mauvaises manières de parvenu. L'identité est un carcan, une prison. Tu es universel, tu es multiculturel, tu es transfrontalier, tu adores New York. Et les quartiers bigarrés de Paris que comme moi tu blanchis en y prenant tes quartiers.

Qui, à part moi, pourrait ne pas louer ton ouverture au monde ?

À part moi qui vois dans ton refus de l'identité un refus d'être identifié ?

Du postulat salutaire et juste que l'identité est une fable, que l'on n'est jamais identique à soi, tu infères joyeusement que tu n'es pas bourgeois. Ou que tu l'es entre autres choses. Tu l'es par moments. Comme tout un chacun. On est tous un peu bourgeois, philosophes-tu, et alors bourgeois n'est plus une position sociale mais un bénin défaut partagé, l'autre nom d'un conformisme pépère transversal aux classes.

Ainsi certains riches ne sont pas du tout bourgeois, qui prennent des risques pour monter leur boîte, plaquent tout pour s'installer à Berlin, épousent une femme de vingt-cinq ans plus âgée, s'adonnent au parapente.

Cependant que certains prolos sont très bourgeois dans leur tête. Certains sont même très étriqués, très près de leurs sous.

Surtout en fin de mois.

Que ta soudaine découverte des problématiques de race ou de genre ait eu ou non pour objectif mûri d'occulter le clivage de classes ; que les plus chevelus de tes intellectuels organiques aient sciemment ou non lancé SOS Racisme pour diviser les milieux populaires ; que le débat tourbeux sur le mariage gay ait été opportunément ou non lancé au moment des plus gros cadeaux fiscaux au patronat, le fait objectif est là : même si race et classe se recoupent en partie, même si l'Arabe discriminé est rarement émir, la promotion d'un paradigme a évacué l'autre. Pour toi le bénéfice est, sinon recherché, effectif.

Ton mot d'ordre, ton mot visant à la préservation de l'ordre est : tout sauf les classes. Tout sauf cette découpe-là du réel. Tout le reste tu peux le digérer. Les questions de genre et de race, du moins telles qu'assimilées par toi, ne menacent pas tes positions – de plus rudes que moi avanceraient même que tu les assimiles pour les abolir.

Tu t'attaques au harcèlement sexuel au travail sans t'attaquer à la subordination économique qui l'autorise. Tu promeus le CV anonyme sans l'imposer. Treize Noirs intégrés à Sciences Po n'affecteront pas ta surreprésentation dans les filières d'élite. Pas plus que les 30 000 couples homos mariés à ce jour ne détérioreront ton patrimoine. Pas plus que la parité dans les conseils d'administration ne criminalisera les services que s'y rendent les oligarques – ni d'ailleurs ne destituera la domination masculine.

Il existe une manière plus systématique, plus dangereuse d'aborder les questions de genre et de race. Il existe des travaux qui mettent à nu le ressort racialiste du capitalisme, le ressort viriliste de la prédation libérale. Il existe Foucault élucidant la concomitance entre l'émergence du libéralisme et l'invention de protocoles de contrôle des vies et des corps. Ce sont des travaux de gauche. Ils honorent la gauche autant que tu la déshonores en t'y affiliant. Ces travaux tu les ignores, au sens aussi où tu les évites. Intuitivement tu évites ces analyses structurelles. Ton équilibre psychologique – idéologique – se romprait si tu t'avisais qu'en matière de racisme et d'homophobie, la structure que tu portes et qui te porte fait partie du problème.

Par instinct de protection, tu ne pousses pas l'analyse jusqu'à ce point. Tu t'arrêtes au cran bête, au cran moral. Là où manque la pensée prospère la morale.

Bouillier observe que le grand virage cynique des années 80 a coïncidé avec un grand cirque de la vertu. La coïncidence est concomitance. Ta morale grandit à la mesure de ta sauvagerie. Elle en sonne d'autant plus faux, d'autant plus bête. Hors de propos. Ton discours a souvent l'air d'un Casque bleu au milieu d'une boucherie plus ou moins ourdie par sa hiérarchie.

Tu auras beaucoup moqué ton philosophe en chemise mais peu ébranlé sa conviction mousquetaire que tout conflit distingue un camp du bien et un camp du mal. Il est peu de débats que tu ne saisisses dans ces termes moraux. L'homophobie n'est pas un système de savoir-pouvoir, c'est un vice. C'est mal de gazer un migrant, comme c'est mal de taper une petite sœur. Tu n'aimes pas beaucoup la pédophilie non plus. Au risque de choquer, elle te dégoûte.

D'où vient ton exception migrants ? D'où vient que ton seul point de contentieux avec Macron, que benêt tu avais cru aussi favorable à la circulation des pauvres que des capitaux, porte sur l'accueil des migrants ?

Réponse de toi, réponse morale : parce que ça te choque. Parce que seul un salaud que tu n'es pas resterait insensible à ces pauvres hères.

À nouveau on se comprend mal tous les deux. Je ne demande pas pourquoi le migrant t'émeut, mais pourquoi tu lui consacres moult docus, plutôt qu'à d'autres prolétaires du reste tout aussi basanés mais pas exactement migrants, pas frigorifiés dans un camp, pas prostrés sur un trottoir

— ouvriers agricoles dans l'arrière-pays toulonnais, cuisiniers sri-lankais dans une pizzeria de Montrouge, que sais-je ? Toi qui surmontes ton hostilité à la gauche militante pour participer à un collectif de soutien aux migrants, pourquoi n'aides-tu pas aussi des mal-logés, des chômeurs en fin de droits, des enfants autochtones sujets à la malnutrition ?

Voyons.

1. La situation est tangible. Je ne dis pas spectaculaire, laissons de côté ce procès-là, mais tangible. Le migrant se voit, il t'est paradoxalement plus proche qu'un souffrant du cru, il est parfois en bas de chez toi, son froid et sa faim te sont palpables et tu as du cœur.

2a. La situation est lisible. Hier soir une de tes auteures argumentait son soutien à des migrants parqués dans un square de son quartier : c'est simple, des gens ont besoin de nous, on les aide. Ce billard politique à neuf bandes peut donc être ramené à des truismes moraux comme tu les aimes. Ou saisi dans des schèmes psychologiques comme tu aimes les mobiliser : l'exil, le mal du pays, l'arrachement à la famille, mon cœur resté là-bas, etc.

2b. Ces migrants sont noirs et arabes. Les accueillir, c'est accueillir l'autre. Le migrant n'est pas seulement un crève-la-faim à nourrir et loger, il est : l'autre. En l'espèce, tu n'agis pas au nom de la solidarité minimale qu'on doit au prolétaire refoulé de sa terre par l'oppression économico-politique, mais au nom de l'ouverture à l'autre, car l'autre est une richesse, l'autre même super-pauvre est riche. Le seul autre avec lequel tu peines à fraterniser est celui qui refuse l'autre. Celui-là mérite un blâme.

3. Ainsi perçu, ainsi filtré, le migrant traîne de camp en camp un malheur pur, sans cause. Tellement victime que victime de rien ; victime du sort. La guerre qui l'a expatrié, tu ne cherches pas à savoir qui la mène et dans quel but. Aussi bien, tu n'examines pas longtemps quelles forces causent les dérèglements environnementaux qui produisent le réfugié climatique. Envisagé par le petit bout de la morale, le bout auvergnat (qui sans façon), la cause des migrants peut se soutenir sans heurter l'ordre capitaliste, sans mettre au jour le fait impérialiste. Coûteuse en temps et en énergie – sois-en remercié –, elle est à peu de frais politiques. Elle a même pour bénéfice connu (pour but, disent certains de mes amis) de substituer à un heurt dominés-dominants un dilemme accueil-fermeture qui brouille les cartes, brouille les classes, et sur lequel tu te plais à observer que les prolos sont souvent beaucoup plus réacs que toi. Aubaine : si le prolo est facho, toi bourgeois tu peux te dire de gauche. Et triomphalement découpler la pensée de la condition sociale.

Prends une exaction, extrais-la de la structure qui la génère, il reste quoi ? Il reste un fait stupide comme une moule sans rocher, un fait sui generis, justiciable non d'une analyse mais d'une condamnation. Tu condamnes à la fois l'horreur et quiconque prétendrait la lier à un contexte économique, international. L'horreur est l'horreur. Elle ne se pense pas, elle se juge — et se réprime.

En toi penser et juger fusionnent. Les questions sociales sont résorbées en questions de principes. Tu peux entendre que les agressions sexuelles en série d'un producteur de cinéma relèvent de l'abus de pouvoir ; mais tu te désolidarises si un obsédé de la structure comme moi les inscrit dans une plus générale objectalisation du corps féminin par une industrie qui s'autocélèbre dans des cérémonies en robes échancrées. Analyse trop sophistiquée, estimes-tu. À un moment donné il faut dire les choses, ce mec est un porc point final.

Tes sermons à répétition ont fait le lit d'un savoureux renversement lexical : depuis quinze ans, le bien-pensant n'est plus celui qui réprouve l'homosexualité, mais celui qui traque l'homophobie ; n'est plus le raciste mais l'antiraciste ; n'est plus le patriarche lettré prodigue en adages misogynes, mais la féministe qui le reprend.

C'est aujourd'hui le canal historique de la bien-pensance, catholique et anti-dreyfusard, qui s'en prend à la dictature de la bien-pensance. C'est fort. De café.

Et c'est un peu mérité.

Tes leçons à longueur de tribunes sont énervantes. L'agressivité que tes journalistes organiques réservent aux candidats FN est énervante. Ton bon droit humanitaire est énervant. Tes peuples sympas. Tes yézidis de tous les pays.

Tu as ta part dans la poussée néo-réactionnaire en cours. C'est en contrepoint de ta moraline, de ton indignation, de ta manie de transformer un fait objectif (le fait multiculturel) en valeur (le multiculturalisme) que la vieille bourgeoisie s'est réveillée de sa torpeur de maison de retraite, et qu'elle s'accorde un baroud d'honneur, multipliant ses tribunes, finançant l'école de Marion Maréchal, liquidant Vatican 2, repartant en croisade.

Et m'amalgamant à toi. Depuis sa rive lointaine, le bourgeois de fer ne voit pas de différence entre nous. Il met toute la gauche dans le même paquet bien-pensant et je passe pour un blaireau.

C'est énervant.

Tu piétines au stade infantile de la politique, où l'adversaire est un Gargamel qui sème la zizanie parmi les doux petits hommes bleus.

Je suis passé par là. Nous y sommes tous passés. Adolescents nous sommes entrés en politique par les tautologies de la morale ; par la saloperie des salauds qu'un justicier juste mettra hors d'état de nuire.

Mais toi tu n'as pas bougé. Devant un tortionnaire ou un pollueur impénitent, ta mâchoire se crispe de dégoût comme celle d'OSS à l'évocation d'Hitler – « Je déteste cet homme ! » Toi tu détestes le djihadiste et tu tiens à le dire. Oui tu détestes cet homme, ce détraqué, ce barbare. Tu lui opposes des Arabes gentils comme Boualem Sansal ou Abdel, ton épicier.

Dans ton pays mental comme dans celui de Candy il y a des méchants et des gentils.

Obama est gentil, Trump est méchant.

Michel Serres est gentil, Alain Finkielkraut est méchant.

Me rapportant un jour en loge la nouvelle énormité de ce dernier, tu as cru nouer avec moi une complicité anti-réac et acheter mon indulgence dans le débat sur le management que nous allions avoir. Tu as mal cru. Même contre Finkielkraut nous sommes désaccordés. Nous ne lui adressons pas les mêmes griefs. Quand je vois d'abord en lui un idéologue de sa classe, un défenseur fébrile de l'excellence bourgeoise révolue, celle des salons galants du XVIIIᵉ, tu lui reproches de frayer avec l'identité donc le racisme. Jadis audible, l'homme a dépassé la limite, dis-tu. La limite au-delà de laquelle un gentil devient méchant. Voire infréquentable. Tu es cohérent dans ta bêtise : tu ne fréquentes pas les infréquentables. Tu as pointilleusement boycotté les sketchs de Dieudonné à partir de ses premières sorties antisémites. Ta vertu est sans faille.

À ce niveau infantile, le clivage gentils-méchants recoupe le contraste entre bonnes et sales têtes. Éric Ciotti est méchant et désolé mais c'est un peu écrit sur sa gueule. Comme sur celle de Nicolas Bay.

Alors que le macronien fait plutôt bonne figure.

Benjamin Griveaux : bonne figure.

Toi : bonne figure.

Obama est sympa et comme par hasard il a une bonne tête, qui à tes yeux rachète son allégeance à Wall Street, pour peu que tu en sois informé, et inquiet. Cependant qu'au sein de ce casting Marvel, le méchant Trump a exactement la gueule de l'emploi. À parts égales tu dénonces ses tweets xénophobes et moques ses cheveux orange.

Étrange fixette sur ses cheveux. Deux ans après son élection tu en parles encore. Les cheveux signalent à coup sûr l'homme méchant et le président infréquentable. L'immoralité est une faute de goût.

En toi vertu et bon goût s'équivalent. Arbitrer les vertus c'est arbitrer les élégances. Qui pose ses coudes sur la table manque à la politesse, mais aussi au goût. Les piaillements de Marine face à Macron sont mauvais goût. Se retirer de l'accord de Paris sur le climat est mauvais goût.

À la confluence du beau et du bien point la classe. D'un homme qui s'habille avec goût ou tait ses dons à un hôpital pour enfants, tu diras indifféremment qu'il a de la classe.

Ta dilection pour le flegme anglais, dont la tenue est une politesse. Pour le pince-sans rire, pour le bon mot en smoking. Pour la fantaisie racée de Jean Rochefort. Pour le maintien désinvolte. Pour l'élégance sans travail – *effortless* écris-tu dans Elle. Pour la fausse modestie de l'élégance qui feint d'être fortuite. Pour le charme discret. Pour la bienséance des voix à faible volume. Pour François Hardy, dont tu tâches d'oublier les diatribes poissonnières contre l'impôt, et qu'ainsi perdure l'illusion nécessaire, nécessaire à toi qui as du maintien, que la hauteur du port dénote une hauteur de vue. Que la beauté remarquable des membres de ton club signe leur supériorité morale et même intellectuelle. Que les gens smart sont smart.

Comme tes téléphones.

La modalité contemporaine de ta classe s'appelle le cool.

Si elle n'existait pas, un roman d'inspiration balzacienne aurait inventé la rubrique d'un de tes organes officiels, titrée Où est le cool ? Débusquer le cool et l'adopter est ton souci constant, constitutif. Toutes les pages dudit magazine, culture comprise, poursuivent cette quête, cette obsession, ce critère central et suffisant.

À la confluence du beau et du bien, le cool estampille inextricablement une attitude du corps et une attitude éthique. Dans les deux cas, le cool s'oppose au raide. Qui appelle les flics un soir de fête bruyante dans l'appartement mitoyen fait montre d'une raideur du même mauvais effet qu'un costume rayé sous une serre numérique, qu'un espace de coworking sans baby-foot.

Obama est cool : son dessein de limiter le port d'armes s'incarne dans sa désinvolture chaloupée. Alors que Trump : pro-NRA et piètre danseur.

Toujours indifférent aux contenus, tu t'es peu informé sur la présidence d'Obama après son élection qui t'avait arraché quelques larmes, mais n'as rien raté de ses punchlines de stand-up, de ses sketchs écrits par les meilleurs auteurs américains donc du monde (tu regardes le Saturday night live en VO non sous-titrée), de son bœuf avec les Stones, de ses pas de danse dans un concert de charité, et surtout de ses apparitions aux bras de la First Lady. Une fois, en sauçant un maki, tu t'extasiais devant une photo où les deux encore étudiants occupent un canapé, elle talons de bal à la main, lui cravate dénouée. La classe absolue, te pâmais-tu. La grande synthèse : des Noirs en costard des années 70. Tu as suivi le rap des années 90 dans ses grandes lignes, le rater eût été manquer au cool, mais la soul noire de vingt ans avant, swinguante et sapée, reste le must. L'acmé du moment cool de la classe. Tu t'adores adorant cela ; tu t'adores t'extasiant devant la photo de Michelle et Barack — le cool révoque les patronymes.

Tu n'appelles pas les flics en cas de bordel mitoyen. Tu laisses passer une heure en pariant sur la responsabilité des fêtards, puis tu sors sonner pour, d'une voix basse, informer les trois qui ont ouvert que tu respectes le fun, que toi-même tu adores l'électro-pop, mais que voilà ton fils a école demain, donc s'ils pouvaient juste baisser un chouille la musique ce serait, comment dire, cool. Pas de souci, te rassurent les fêtards. Eux aussi sont bien élevés – dans la hiérarchie. Ils n'habitent pas le même immeuble pour rien. Ils se trouveront classe de baisser la musique, et alors le frisson qui parcourra le salon tiendra de l'autoérotisme de groupe. Le même que j'avais perçu alors que tu tripotais les longs cheveux lisses de la fille d'une de tes amies. Vous étiez deux femmes qui de concert vantiez les cheveux de cette petite, et le dessin parfait de ses lèvres, et le bleu turquoise de sa robe. Cette beauté embellissait le tableau que toutes trois composiez. Cette beauté te gratifiait, car elle tenait un peu de toi, était liée à toi autant qu'à sa mère, par des liens de classe comme il y en a du sang. La beauté de cette enfant aiguisait ta satisfaction de tenir d'une classe de gens beaux, de gens que leur beauté justifie.

Tu n'as pas toujours été cool. Le cool est une production historique. Une invention du XXe siècle.

As-tu une quelconque idée de comment il t'est venu ? Y as-tu seulement réfléchi ?

Moi oui. Je n'ai que ça à faire.

Toi tu dirais que le cool t'est venu comme ça, naturellement. Tout n'est pas explicable, répètes-tu, tout n'est pas analysable. Et ainsi tu n'analyses rien. Le cool est tombé du ciel des idées et ce fut sur toi − ta religion bourgeoise du mérite flirte avec la fable aristocratique de l'élection. Un jour il t'est apparu qu'en fait la raideur ça n'allait pas, ça n'allait plus. Tes comédies cathartiques se donnent souvent pour horizon narratif le décoincement d'un bourgeois pas cool, genre Clavier dans Qu'est-ce qu'on a fait au bon Dieu ?, et c'est ton parcours historique que tu y racontes, ton trajet, des barbes cravatées des années 20 aux barbes hipster des années deux-mille. Ton trajet de l'opéra Garnier au show d'Arcade Fire au Zénith. L'épopée d'un corps en route téléologique vers son terminal déraidissement.

Quant à moi, terre à terre, j'incline à inscrire cette flatteuse aventure d'une psyché insulaire, ce chemin vers la grâce cool de l'individu autonome que tu te targues d'être, dans des mouvements collectifs, historiques, objectifs. Ce qu'Althusser appelle des procès sans sujet. Par exemple la déchristianisation. Le corps social s'est déchristianisé, et au XXe siècle les corps individuels ont suivi le mouvement. La messe veut des corps droits immobiles et le tien est pris d'une bougeotte, gagné par la souplesse. Tu es à l'avant-garde de cette lente mutation des postures. Au XVIIIe, c'est de tes rangs qu'émergent les libertins, préconisant la religion pour les paysans, qui ont besoin de bergers, et la liberté pour eux qui ne sont pas des moutons.

Ta bougeotte n'est pas dissociable non plus de la massification de l'hédonisme, d'ailleurs elle-même rapportable à la moindre emprise de l'Église sur les mœurs. Ça part d'outre-Atlantique, ça se diffuse partout après-guerre, avec des vecteurs comme la pop-music, le cinéma, la publicité, et autres incidences de l'extension du domaine de la consommation. Je ne m'étends pas. Parce que l'histoire est connue, et qu'elle ne te concerne pas en propre. Tu as même eu un retard à l'allumage, dans ce domaine c'est souvent le populo qui a donné le *la*. Tu l'as rejoint dans les clubs où il jouait du jazz – par exemple du cool jazz –, dans les concerts où son corps s'abandonnait à une double sommation (rock/roll), dans les cinémas où il regardait des mélodrames, des westerns, des comédies burlesques, des Star Wars. Tu as regardé la télé comme lui ; fini par suivre les feuilletons à large audience.

La consommation embourgeoise le peuple, c'est entendu. Par la consommation, le prolo se concocte des intérieurs de sous-bourgeois. Mais en retour, rallié à la culture de masse, dansant sur des tubes à rayonnement transclasse, enfilant des survêts à capuche, avalant les sodas et la viande sous cellophane que tu imposes à tous, tu as incorporé quelque chose de la désinvolture populaire, de la vitalité sans manières des couches inférieures, au point que parfois on ne te reconnaît plus. C'est toute la difficulté, toute

la ruse. Tout le bénéfice réconciliateur de l'hypo-
thétique classe moyenne par laquelle tu aimes
brouiller la partition binaire entre bourgeois et
prolétaires.

Je vais vite.

Les classes inférieures t'ont aussi infléchi en
te ciblant. En s'organisant contre toi, se syndi-
quant, se politisant. Offensives, revendicatives,
elles t'ont acculé à réagir.

Tu as d'abord réagi en les repoussant, les
matant. Tu as envoyé la troupe. Il y a eu des
morts, t'en souvient-il ? Il y en aura encore.

Toujours plus subtil dans ta défense, tu as
aussi réagi à la contestation en l'assimilant ; tu l'as
absorbée, comme l'Allemagne absorbe un million
de migrants pour sa survie démographique ;
comme la pub a absorbé le situationnisme, ou le
peu qu'elle en comprend ; comme le management
collaboratif a absorbé le peu qu'il comprend de la
délibération égalitaire.

Long serait le répertoire de tes techniques
d'absorption, plus communément et plus faible-
ment appelée récupération.

On reparlerait d'abord de ton art de neutra-
liser un discours subversif en l'infantilisant. De
rendre inoffensif l'antiracisme ou le féminisme

en les ravalant au rang de sympathiques contre-offensives des gentils humiliés.

Puis on observerait ta tendance lourde, très lourde, à dévoyer la pensée critique en billet d'humeur, à l'aiguiller sur des cibles comme l'époque, ou la télé, ou les sites de rencontre, ou les selfies, ou le deuxième degré paraît-il triomphant, ou le festif ; cibles suffisamment génériques et vagues pour ne rien incriminer, si ce n'est les classes populaires, car au fond qui vises-tu quand tu t'égosilles contre TF1 ou les réseaux sociaux ? Par un retournement qui parachève quatre décennies de régression, le fer critique jadis porté contre les dominants se porte contre les dominés.

On évoquerait aussi l'individualisation de la négativité. Toi aussi tu veux ta part de rébellion, mais elle tiendra du mal-être individuel – non de la colère ou de la subversion qui ne sont pas à ton programme. Tu ne fais pas de politique, tu fais de l'introspection. Tu ne milites pas, tu fais une analyse. Tu t'épanches en complaintes mélancoliques. Tu es une chanson de Fauve sur nos espoirs déçus – quels espoirs et déçus comment on ne saura pas, le vague est la vertu principale du vague à l'âme. Les années 80 te font arborer des mines ténébreuses sur tes pochettes d'album. Ta peine sans fond regarde le lointain. La blessure t'embellit, la fêlure t'ennoblit, tu es douloureux, tu es durassien, tu es un peu fou aussi, un peu folle, tu satures tes films et tes livres de déviants sublimes, de cabossés magnifiques, de perdants millionnaires, de spleen à Deauville – élégance de Sagan –, de Gatsby balafrés sous le trois-pièces. Ta branche esthète en voie d'extinction célèbre Gena Rowlands dans Une femme sous influence, tellement belle et classe et malheureuse et folle.

Un scrupule de dominant t'est venu qui te pousse à faire savoir que tu souffres.

Tu n'es pas si privilégié puisque tu souffres. Toi aussi tu as eu ton lot. Chacun a son lot, et toi pas moins qu'un autre. Tu le dis et répètes et finis par y croire. Tu finis par te croire aussi triste que tes chansons ; finis par croire que leur tristesse est davantage qu'un genre que tu te donnes. Et sous la chape universelle de cette peine, les écarts de classes sont dérisoires. Riches et pauvres tassés indistincts dans la foule sentimentale.

Tu as refoulé ou assimilé le négatif. Tu en as aussi pris acte. Tu as dit : dont acte. Aux insatisfaits tu as dit : j'entends. Et clos l'échange en promettant d'apporter des réponses. Des réponses humaines pour satisfaire-calmer le peuple. Le satisfaire pour le calmer. Si un clochard exige que tu l'héberges sous peine de brûler ta maison, c'est moins la pitié que la précaution qui te fait céder. C'est bien normal. Je serais pareil à ta place ; je serais si malheureux à ta place.

Le mouvement ouvrier n'a pas voulu te faire pitié mais peur – pour la pitié il aurait pu attendre longtemps. Comme la troupe excite parfois le peuple au lieu de l'écraser, et comme il n'est pas toujours simple de massacrer ou déporter les communards, tu as dû considérer cette menace. Pour la contrer, tu as imaginé des soupapes. Père attendri par ses enfants chamailleurs, tu t'es assoupli. Tu es devenu un patriarche cool. Il y allait de la paix du foyer. Tu as mis de l'eau dans ton vin, des congés payés dans les cadences laborieuses, des allocations dans ton chômage, des bourses dans la ségrégation scolaire. Tu as offert des soins aux corps que tes emplois meurtrissent. C'étaient tes années sociales-démocrates, comme il y eut des années folles. Tes affaires et tes extorsions dégageaient des marges et permettaient la redistribution, soulageant le travail sans toucher au capital. Cette marge de manœuvre a diminué en même temps que ta suprématie impériale. Bientôt la redistribution n'a été possible qu'à renfort d'emprunts qui t'endettent et justifient une austérité qui accable ceux que la redistribution voulait soulager-amadouer. Dans ton cadre économique, la soupape n'est plus finançable. Tu réduis les coûts, tu étrangles les gens. La pelure sociale retirée, ton noyau libéral est découvert. Ta sauvagerie à nu. Tu ne peux même plus faire semblant. Depuis le centre gauche que tu occupes depuis 1871, tu n'as qu'un millimètre à faire pour rejoindre En marche. Par défaut, justifies-tu, mais c'est une adhésion. Une réconciliation de toi avec toi. La fin de l'épuisante parenthèse névrotique nommée Parti socialiste.

Tu revis.

Tu peux enfin donner toute ta mesure. Tu parles ta langue habituelle, débite la même eau tiède, mais le ton durcit. Bienveillance toujours, ressources plus humaines que jamais, quarantaine juvénile, beaux gosses à l'Élysée, bras de chemise dans les décombres de Saint-Martin, manches retroussées façon Obama, mais la fin de la récréation sociale a sonné. Tu fonctionnes par contrat et un contrat ça marche dans les deux sens. Il faut que le pauvre donne du sien. Qu'il se mette au boulot, surtout s'il n'en a pas. C'est pour son bien, spécifies-tu. Il ne gagnera rien à incendier des voitures ou braquer des banques. Il n'y gagnera que ta peur.

Dans les voitures brûlées en banlieue, tu veux bien entendre la souffrance si ça ne dure pas, si ça ne se reproduit pas. Entre ta branche de fer et toi, il n'y a que l'écart d'une sommation.

Tu aimes le pauvre s'il est disposé à la compétition scolaire. Tu l'aimes auto-entrepreneur, aussi aliéné qu'un salarié et moins protégé. Tu l'aimes sur un vélo Deliveroo, rallié à ta propagande sur le working poor préférable au chômage. Le travailleur pauvre, c'est pas plus mal que si c'était pire, aurait dit un comique à salopette. C'est le pire des remèdes au chômage à l'exclusion de tous les autres.

Dans ta méritocratie, que fera-t-on des non-méritants ? Sur ce sujet délicat, tu préfères ne pas t'arrêter. Les non-méritants, tu sais bien qu'on n'en fera rien. Certains citoyens ne sont pas opérationnels ; ne sont rien et le resteront. Il y a une compétition loyale et mort aux perdants, ton velours cool t'empêche de le dire mais pas de le penser. Et parfois ça ressort, en un lapsus révélateur de classe. Qu'un syndicaliste te chatouille et soudain sort le coup du costard. À la moindre contrariété, ton naturel historique revient au galop. Tu ne te retiens plus. Toi qui trouvais excessive l'analogie de l'assistanat et du cancer, tu l'as désormais au bout des lèvres. Dans deux minutes ton verbe empruntera à celui de ta branche pas cool. Vous fusionnerez. Vous serez revenus au même.
Tu seras revenu à ton port.
Je te retrouverai tel qu'en toi-même ; tel que tu t'avançais sans masque dans la cour du collège Jules-Verne, sis en plein centre de Nantes jadis négrière ; tel que tu jurais de mater les séditieux

et punir les paresseux ; tel que tu ne te cachais pas d'être en guerre.

Il t'en faut peu pour laisser voir que ta paix est une guerre suspendue – suspendue comme une épée au-dessus des pauvres, que tu lâcheras s'ils regimbent. Il ne te faut pas beaucoup de jours de blocage des raffineries pour rêver de restreindre le droit de grève.

Il ne t'a pas fallu beaucoup de morts en janvier 2015. Six jours à peine après les massacres de Charlie et de l'Hyper Casher, tu tapes du poing sur la table. C'est un dîner, la table est tienne, une bougie fait briller nos grands verres emplis d'un bon bordeaux pris au Nicolas de la rue de Courcelles. Tu racontes immanquablement ta manif du 11, ta première depuis l'entre-deux-tours de 2002, et tu loues Malek Boutih qui sur toutes les ondes appelle à en finir avec le laxisme en banlieue, à ne plus se coucher devant le communautarisme musulman.

Il y a peu, tu déplorais l'huilesurlefeu ; trois semaines plus tôt tu évoquais bénévolement les métiers de l'audiovisuel dans un forum lycéen de Gennevilliers. Mais ça va bien maintenant. Il va falloir que les Arabes se désolidarisent clairement des dingues qui nous canardent.

Tu ne dis pas les Arabes, tu dis la banlieue.

Pour indiquer à la banlieue le mode d'emploi, et un peu aussi pour la narguer avoue-le, tu prends l'habitude d'entonner la Marseillaise en toute occasion. Tu la complètes d'un couplet sur nos valeurs. Le novembre suivant, tu diras que ces dingues, ces sauvages, ont attaqué notre mode de vie, nos bières en terrasse, nos jupes, notre musique, en un mot notre raffinement. D'où je déduirai logiquement, te prenant au mot, que les Français qui ne boivent pas de bière en terrasse sont moins français que d'autres. Pour le coup ton nous n'est pas inclusif. Ton ultimatum trace une ligne : vous êtes avec nous ou contre nous ; vous êtes nous ou eux. C'est une dernière chance que tu leur offres de s'inclure dans le nous exclusif. Une dernière main tendue avant le coup de pied au cul.

Les fêtards mitoyens ayant remonté le son juste après ton passage, tu te lèves sonner à nouveau, et comme cette fois ils te rient au nez tu ne te retiens plus d'appeler les flics.

Et tu vois je crois que j'aimerais mieux que tu les aies appelés tout de suite, sans passer par la phase de la négociation cool.

Si mes artères permettaient que je me trouvasse parmi les fêtards, goguenard et joyeux comme il se fait rare, je te préférerais hargneux comme une Morano plutôt que cotonneux, plutôt que ces fins de phrase traînantes, ce tee-shirt Kill Bill, cette barbe obligée, cette voix basse pour dédramatiser ta démarche, ces précautions locutoires, cette politesse dans l'assaut, cette police complexée, cette absence de courage répressif, cette incapacité à la frontalité, cet argumentaire en crabe, non tu n'es pas là pour embêter les gens, tu ne veux contrarier personne, tu en appelles juste à l'intelligence dont tu leur fais crédit, le sommeil des enfants tout le monde est capable de respecter ça non ? À ta place je prononcerais les mêmes mots et c'est sans doute aussi ce qui me crispe, à travers toi c'est aussi ma mollesse que je déteste, au point que, glissé parmi les fêtards, je serais probablement tenté, juste à ce moment, juste sur le mot enfants, de t'en coller une.

D'en coller une à mon double poli, urbain, citadin, métropolitain, mondial.

À moi confessant détester Macron, tu avais opposé que le monde regorge d'individus autrement détestables. Ne devais-je pas garder mes ressources de haine pour les trafiquants d'organes, pour les républicains identitaires ? À raison de tes hiérarchies morales, de ton barème officiel du pire, il allait de soi que c'est chez toi, plutôt que chez un Wauquiez, que j'aurais plaisir à ripailler. Tu étais quand même plus aimable non ?

En effet, répondais-je, et c'est bien le problème.

Tu n'as pas compris la tribune de Ruffin sur la haine que les classes populaires vouent à Macron. À nouveau ta prétendue incompréhension était un jugement. Fidèle à ton cap, tu condamnais cette tribune avant de la comprendre, tu la condamnais pour ne pas la comprendre. Tu l'emballais dans ta catégorie discoursdehaine pour condamner le discours et ne pas entendre la haine. La haine, tu ne peux pas l'entendre. Tu ne peux pas envisager une seule seconde être haïssable. Tu ne peux pas être haïssable puisque tu es cool.

Réaliseras-tu un jour que c'est justement ce cool qui est haïssable ? Qu'au-delà de la violence sociale, c'est le coulis de framboise qui l'enrobe qui est obscène ? C'est l'écrin d'humanité dans lequel tu feutres ta brutalité structurelle. C'est les 20000 euros d'indemnités pour qu'un ouvrier avale un plan social. C'est ta façon d'appeler plan de sauvegarde de l'emploi une vague de licenciements ; d'appeler restructuration une compression de personnel, et modernisation d'un service public sa privatisation.

Comprendras-tu qu'à cette comédie en col blanc, à cette oppression mielleuse, on préfère parfois la méthode forte, sans manières, sans euphémismes ni circonlocutions ? Comprends-tu qu'à la fausse horizontalité du néo-management on préfère la schlague toute verticale du petit chef à l'ancienne ? Qu'à ton sourire kennedien on préfère sa moustache beauf ?

Ton sourire est une deuxième balle dans la nuque. Aux exactions du marché il ajoute l'offense du mensonge.

Il est vrai que tu mens de bonne foi. Tu n'es pas loin de penser sincèrement qu'un plan social est social ; ou que l'argent offert aux riches par décharge fiscale ruissellera sur les pauvres comme une cascade de miel. Tu n'es donc pas exactement, ou pas toujours, un menteur. Tu es faux. Le faux est la métabolisation du mensonge en conviction sincère. Quand on dit que tu mens avec conviction tous les mots sont vrais. Dans ces moments, c'est à ton insu que tout en toi sonne faux, sonne creux.

Lire cela te déplaît si tu le prends pour toi, si tu persistes à te croire individuel, à te croire libre et donc comptable de tes faiblesses autant que de tes forces. Mais si c'est ta classe qui t'agit, tu n'es plus à détester mais à plaindre. Je ne viens pas te châtier mais te consoler.

L'analyse de classe te déplaît aussi parce qu'elle déresponsabilise. Si la classe fait tout, nul n'est pour rien dans rien. Si l'individu n'existe pas, tout est permis. Tu ne saurais percevoir que la pensée structurelle est une délicatesse de la colère. D'ennemi à abattre, elle te transforme en aliéné. L'analyse de classe est ton salut, ta rédemption. Entends la bonne nouvelle : tu n'es responsable de rien. Ton milieu t'a façonné sans te consulter. C'est lui, dont le creux est la paradoxale quintessence, qui te rend creux.

Mais quel est donc ce creux ? Quelle est la composition chimique de ton vide ? De quelle sorte d'air est-il empli ?

Peut-être de l'air que tu te donnes. Des airs que tu prends. Car tu prends beaucoup d'airs. C'est ta non-activité principale.

Tu fais le beau.

J'ai dit que le cool était une catégorie esthétique et une catégorie éthique, qu'en lui vertu et bon goût fusionnent. Mais dans ton périmètre une catégorie englobe l'autre ; préséance est donnée à l'esthétique.

L'esthétique dans son sens courant, non académique. Dans le sens où il y a des salons d'esthétique et une chirurgie esthétique, appliqués à embellir l'existant. Dans le sens où l'évaluation esthétique est l'apanage, non du critique d'art, mais du chroniqueur de mode.

Comme de juste, la rubrique Où est le cool? de l'organe officieux déjà mentionné s'est déclinée en Où est la mode ? Une équivalence était ainsi posée. Le cool est affaire de mode. La mode est affaire de cool.

L'équivalence n'est pas totale. La mode est le contenant et le cool le contenu. Bien que déjà au moins semi-séculaire, la gloire du cool est contingente au sein de ton système d'évaluation. Alors que la mode est ton mode à toute époque. La mode, c'est tout toi.

Les cheveux de Trump.

Paradigmatique est la rubrique mode de ton organe audiovisuel central, celle qui, entre reportages émus sur les Rohingyas et décryptages de la farce politicienne, détaille la panoplie vestimentaire des élus ou distingue le bon ourlet du mauvais. C'est toute l'actualité que les beaux jeunes hommes et belles jeunes femmes de l'équipe passent au tamis de la tendance. Le texan pro-armes interviewé avec appétit est un parangon de mauvais goût. La chronique des fanfaronnades de Kim Jong-un est d'abord l'anatomie d'un ringard. Le reportage de guerre donne des nouvelles d'une partie arriérée de la planète. Le combattant de Homs qui donne des nouvelles par skype a une bonne tête de contemporain comme toi. Il est de ton temps, et lutte pour que ses compatriotes l'y rejoignent. Hélas ces arriérés s'accrochent à leurs vestes élimées, à leur religion, à leur patriarcat so XIXe siècle, à leur dictature old fashioned. Il n'y aura plus la guerre quand cette contrée voudra bien se mettre au goût du jour, pour coller à notre mode (de vie).

En avril 2016, la place de la République n'est pas, pour tes jeunes et beaux journalistes, l'épicentre d'un mouvement social, mais la place où il faut être – place to be. En mai, elle ne l'est plus. Si le neuf n'a le charme que d'être neuf, tu t'en détournes quand il ne l'est plus.

Je n'affirme pas banalement que tu es suiviste – tu ne me suivrais pas dans une manif pour la défense des retraites. Ni, non moins banalement, que tu prises les apparences. Ta préférence pour les espaces pacifiés n'est pas superficielle. Elle est aussi réelle qu'un humain est capable de réalité. Mais c'est le réel même que tu appréhendes sur le mode de la mode. La pensée-mode est ton mode de pensée.

Au collège, toi si conservateur tu étais toujours à la pointe de la mode, du moins de sa variante provinciale. Tu possédais cette science, ta mère la possédait. Coller à la mode, c'est-à-dire étoffer les signaux stables de ta condition (polo) de marqueurs fluctuants (polo Lacoste), relevait chez vous du savoir atavique. La mienne, de mère, aurait eu les moyens d'arrimer ses enfants au mouvement, mais elle n'en avait ni l'idée ni le souci. Le souci de mes parents, dont les corps embourgeoisés se souvenaient de leur enfance pauvre, était de ne pas gâcher. Un pull de mon frère aurait été gâché si je ne l'avais pas porté à mon tour. Ayant sept ans de moins que lui, je portais des pantalons larges au moment où tu serrais les tiens. Mes rares tentatives d'outrepasser les mœurs familiales pour rattraper l'époque ne faisaient qu'accuser mon retard, mon incompétence. Vingt ans plus tard, mes romans manipuleraient un lexique vestimentaire indigent à côté des tiens toujours minutieux dans cet exercice.

Dans la cour, mes copains attardés et moi t'identifiions au fait que tu étais habillé-à-la-mode. Tu l'étais toujours, tu l'étais par définition, puisque c'est toi qui déterminais la mode en l'adoptant.

La bourgeoisie a toujours bon goût puisque le bon goût se définit par le fait que c'est le sien. Elle ne saurait déroger au dress code qu'elle fixe. Un prolo débarquant en sous-pull jaune dans une soirée commet une faute de goût, un bourgeois pareillement attifé vient de redéfinir le code.

La bourgeoisie ne s'adapte pas à l'époque, c'est elle qui en donne la couleur. La bourgeoisie est l'époque. Elle est la mode ; elle fait corps avec elle. Son corps incorpore le mode de la mode.

La pensée-mode se reconnaît à cette circularité. Puisque tu embourgeoises ce que tu aimes, ce que tu aimes est bourgeois. Sans cesse tu vas et viens entre toi et toi.

Tes goûts culturels te reflètent. Les œuvres sont des miroirs où te voir beau. Les honorant, c'est ta grâce héritée que tu honores.

Un jour, les chroniqueurs du Cercle, dont moi, sont invités à désigner leur Rohmer préféré. Parmi mes cinq comparses, trois choisissent sans se concerter Les nuits de la pleine lune. Exclamations. Truculente coïncidence. Mais la sociologie n'est pas truculente, qui rapporte des faits sociaux à des logiques. Ce jour-là dans la salle maquillage de Canal +, il n'y a pas de coïncidence mais une logique, qu'élucidera le commentaire à l'antenne de l'un des trois. J'avais 16 ans, raconte-t-il, je m'ennuyais en province, et ce film m'offrait un monde, celui du Paris des années 80, où j'avais envie de vivre. J'avais envie d'habiter dans ce film.

Textuellement.

Une œuvre comme un appartement à habiter, un salon liseré de dorures à visiter. Versailles comme raison suffisante d'un récit de Sofia

Coppola, passée par la mode avant le cinéma. Ou, dans un autre, les rêves d'architecture de Beverly Hills. Ou le charme sudiste de la maison à colonnades dans son remake des Proies. Ou l'hôtel international – pour les plus riches d'entre toi l'hôtel est une seconde maison. Le décor fait le film. La projection est un showcase.

Ta branche critique a récemment contracté la manie de saluer la direction artistique d'un film. Par ce syntagme pompeux tu désignes le travail sur les décors, les costumes, les accessoires. La direction artistique de Carol, où deux Américaines sublimes et gantées s'aiment dans le New York des années 50, flatte ta fascination pour la décontraction guindée de la bourgeoisie Côte est, pour sa coolitude optimalement corsetée par les conventions d'alors.

Je sais le génie des comédies hollywoodiennes d'avant et d'après-guerre, je me demande juste quel charme tu leur trouverais, puisque c'est de charme qu'invariablement tu parles à leur propos, si elles ne plantaient pas leur récit dans de grandes demeures victoriennes, ne le jalonnaient pas de dîners scintillants et de cafés servis au salon à des créatures d'une élégance achevée, les plus racées que ta race ait produites, tes chefs-d'œuvre, tes modèles ultimes, les derniers peut-être de ta lignée avant que l'horizontalité radicale des réseaux sociaux ne te dépossède du monopole du goût.

Tu aimes les films de Jacques Demy. Pardon : tu aimes Les Demoiselles de Rochefort et Peau d'âne. Tu les montres à tes enfants, puisque dès le bas-âge il faut les cultiver, cultiver leur bon goût. C'est sans craindre de m'irriter que tu m'as raconté la fois où ta fille et toi aviez préparé un gâteau en suivant à la lettre la recette chantée par la reine putative de Peau d'âne, reprenant son refrain à l'unisson dans la cuisine de ta maison cossue d'Angers.

Quels arguments ont ces deux films que n'ont pas, du même auteur, Une chambre en ville ou Parking que tu ne cites jamais ? Tu me vois venir. Je suis prévisible – à moins que ce ne soit toi. L'argument est la perfection plastique bien sûr. Le décorum enchanteur. La beauté à tous les étages – du palais.

Catherine Deneuve.

Madame Deneuve, marraine de ton organe audiovisuel central je le note, fut la princesse puis la reine puis la reine mère du royaume du cinéma français où se sublime ton enfance magique – magique en quoi, je le dirai – et peuplée de gens beaux. Celle que sans rire tu nommes la reine

Catherine est la belle d'entre les belles. Même en souillon elle resplendit ; sur elle la peau d'âne est de bon goût, comme sur toi un sous-pull jaune.

Tu souscrirais à la définition du cinéma par Truffaut : art de faire faire de jolies choses à de jolies femmes. Ton féminisme approximatif, ton féminisme a-structurel s'arrête où commence la cause supérieure de la beauté.

Du temps où ces noms propres t'évoquaient quelque chose, où tu ne t'étais pas encore liquéfié dans les séries, tu te référais plus volontiers à Truffaut qu'à Godard. Les films du premier ont rarement parjuré sa pétition de principe – jolies femmes, jolies choses, élégance occidentale, aristocratie anglaise, Jacqueline Bisset, Claude Jade, reine Catherine. Godard, tu ne l'aimes qu'aussi longtemps qu'il met en scène des élégants façon Belmondo et des fatales façon Karina. Après son virage politique, tu ne daignes plus lui prêter une attention que ses films gâtés par les distorsions formelles ont l'air de vouloir décourager. Une forme ne doit pas distordre le monde mais le célébrer, au besoin l'agrémenter. Dans Le Redoutable, tu scénarises un Godard détourné des grâces de son milieu, détourné des produits d'excellence de la bourgeoisie comme le petit cul parfait de sa compagne par les gredins maoïstes grimaçant de haine. Ce sont des fâcheux et l'art ne doit pas fâcher, il doit concilier, il adoucit les mœurs et les prolétaires, il n'est pas le coup de poing sur le crâne que Kafka veut qu'il soit, mais une caresse, celle de ta main lissant les cheveux de ta fillette turquoise.

Godard tu sens qu'il te veut du mal. Godard te dit un peu merde. L'art au moins moderne t'aura beaucoup craché à la gueule. Le bourgeois est son repoussoir. Le bourgeois est le contraire de l'art. Tu le sens. Tu sens toujours très bien la menace. Tirant les ficelles (de la bourse) de l'art, tu le retournes en ta faveur. Pour le remettre ou le maintenir dans le calme et droit chemin où ses splendeurs transcendent les conflits.

Même rivé à des sujets graves, à des douleurs majeures, à des incestes en série, à des camps d'extermination, un film doit bien présenter. Un film ou un tableau disposent la version augmentée de l'excellence plastique de ton ordinaire – beaux meubles, belles voitures, beaux enfants. Tu ne vas plus à l'opéra en frac – tu ne vas plus à l'opéra – mais de l'art tu escomptes encore qu'il creuse dans le réel une grotte magique préservée de ses vicissitudes. L'art doit endimancher la vie. L'enchanter en la chantant, telles les deux sœurs jumelles nées sous le signe des Gémeaux.

Sais-tu bien par quoi tu es parlé lorsque tu confies à Transfuge ton allergie aux films qui imitent la vie ? Sais-tu bien pourquoi le naturalisme te crispe ? Que crains-tu que la maison de verre de Zola mette à nu ? Pourquoi le réel t'indispose-t-il à ce point ?

Dans des moments de moindre flou – artistique –, tu lâches quelques indices. Tu dis par exemple que les bourgeois de La vie d'Adèle sont caricaturaux. C'est ton objection systématique quand on te représente sans (te) mettre de gants. Quand on te prend en flagrant délit d'être toi.

Sortant un soir d'une comédie circonscrite au sixième arrondissement, nous partîmes, toi et moi, en chassé-croisé. Tu déplorais l'entre-soi bourgeois dans lequel Danièle Thompson confinait ses personnages ; j'aurais souhaité qu'au contraire l'entomologie fût plus fouillée, documentée, qu'on s'immergeât plus profondément dans ce milieu pour en détailler le tableau ; que la bourgeoisie n'y fût pas qu'un cadre, comme c'est si souvent le cas, mais le tableau même. Ce que tu tenais pour une surdose de bourgeoisie péchait selon moi par imprécision, par effleurement. Une fois de plus la bourgeoisie s'affichait sans se détailler, sans se révéler.

Tu venais, sans surprise, de passer la Seine pour emménager dans le neuvième. À cette occasion, tu avais bravement surmonté ton amour de la mixité en inscrivant ta fille dans un collège privé de la rue Saint-Lazare. Tu me compterais bientôt parmi le casting homogène d'un brunch dans ce 80 mètres carrés acquis pour 400000 euros. Le petit monde homogène de Thompson t'exaspérait parce qu'il te reflétait. Te voir si peu métissée en ce miroir te contrariait comme si tu t'y découvrais un bouton à la lèvre. Tu n'aimes pas beaucoup qu'éclate ton communautarisme.

Certains de tes jeunes romanciers adoptent la manière de leur maître Romain Gary, grand falsificateur, grand embrouilleur. Et quelles cartes veulent-ils brouiller au juste ? Quelles cases estomper ?

La grimace de ces gens quand ils évoquent le roman sociologique. Ils ne comprennent pas — c'est une manie chez toi. Ils ne comprennent pas qu'on s'abaisse à écrire qu'un expert-comptable touche un salaire d'expert-comptable. L'art doit rester ce temple où n'entrent pas les choses qui ne sont que ce qu'elles sont. Où l'on pénètre pour échapper à la tautologie du réel.

Mon goût de l'absurde, du non-sens, de la littérature comme fossoyeuse du sens, de l'art comme embrouille, est bourgeois — aristocratique, préférerais-je dire pour sauver ma face. Il s'engouffre dans mon vide, creusé par mon angoisse, mais aussi par ma condition rentière, qui, soumise à nulle urgence, peut s'accorder le luxe du faux.

Cependant que ma passion du vrai est plébéienne. La recherche fiévreuse de ce qu'il en est réellement d'une situation est plébéienne. La plèbe sent confusément que faire justice au réel c'est aussi lui faire justice à elle. Elle sent qu'une réalité restituée avec justesse lui rend justice, et toi tu sens qu'elle te charge. Elle la convoque à la barre pour sa défense, tu l'absentes avant qu'elle ne t'accuse. Tu t'en débarrasses à ta décharge.

En art, c'est le réel qui nous divise. Nous n'avons pas les mêmes valeurs de plan. Nous n'aimons pas le même Rohmer. Au Cercle, je n'avais pas élu Les nuit de la pleine lune mais Conte d'été. Que tu aimes pour le conte et moi pour l'été. Que la partie bourgeoise de moi aime pour le conte, et la prolo pour l'été.

Je schématise.

Tu détestes que je schématise. Le schéma sépare et tu veux concilier. Pour invalider le schéma, tu as toujours, bombe lacrymo brandie contre un bourdieusien en embuscade, une exception à faire valoir. Toujours sous la main un fils de maçon entré à HEC, un ami riche fan des Dardenne, un graphiste qui ne regarde pas Breaking Bad. Et toi qui connais tout Joe Dassin. Mais par ailleurs arrive-t-il que tu préfères Maître Gim's à Benjamin Biolay, Nolwenn Leroy à Vanessa Paradis, les Wampas à Phoenix, Vin

Diesel à Casey Affleck, Plus belle la vie à La servante écarlate, Katherine Pancol à Delphine de Vigan, Cyril Hanouna à Yann Barthès, Jean-Marie Bigard à Valérie Lemercier ?

Je n'ai pas souvenir qu'à ta table quiconque ait vanté le sketch sobrement appelé Le lâcher de salopes. Si d'aventure le nom de Bigard était prononcé, il portait sa disqualification. Il était l'autre nom de la vulgarité.

La vulgarité est la ligne de démarcation. Les cheveux de Trump sont vulgaires. En premier ressort, Trump est vulgaire, il attrape les filles par la chatte.

L'appli Google-latin t'apprendra que vulgaire vient de foule. Aussi sûr que le bourgeois définit le bon goût, la foule incarne son contraire.

Il est de fait que l'héritier Trump n'émane pas du vulgaire, d'où ton énergie redoublée pour t'en distinguer. Il te fait honte, sa tour affreuse fait honte à ta capitale mondiale, tu dois prouver qu'il y a eu interversion des bébés dans la couveuse, que ce président indigne est, quelque part, issu de la grasse Amérique à casquette qui l'a plébiscité.

Bigard remplit Bercy – bourre Bercy, disait l'affiche avec slip en gros plan pour expliciter le jeu de mots. Bigard ramène ou ramenait du monde ; ramène du peuple. Bigard est populaire. Et donc vulgaire. Lemercier aussi dit bite, mais ce n'est pas la même. Tiens pourquoi ce n'est pas la même ? Tu le sais très bien. Pour la distinction entre bite et bite, tu as l'oreille.

Mais alors Joe Dassin ?

Joe Dassin est mort, c'est sa chance. Contemporain, tu l'aurais snobé au profit de Barbara ou Bowie. Depuis cette altitude, tu n'aurais pas daigné considérer ses bluettes. Le temps recompose les hiérarchies. Il réévalue. Il remet Sardou au répertoire de la chorale. Il érige Abba, sur lequel tu n'aurais pas baissé les yeux en 78, au sommet de la pop. Le temps requalifie la niaiserie en charme, l'amour larmoyant en poignante blessure.

Il légitime la chanson populaire ; il le fait en dissociant la chanson du populaire. En la coupant du plancher des vaches d'où elle a émergé. Les années dissocient le chanteur populaire des fans de basse extraction qui le collaient, des galas pourris qu'il enquillait, de ses sorties pro peine de mort, de ses prestations en costume à franges dans les émissions de Guy Lux que bientôt tu réévalueras comme tu l'as fait de celles des époux Carpentier méprisées en leur temps. Les années purgent le populaire du vulgaire.

C'est à titre posthume que tu t'es entiché du cinéma américain des années 70. Et moins pour sa ligne contestataire que pour la panoplie de la contestation, que tes années 2010 reprendront, et que ton remake américain d'un film français campé dans cette décennie surligne jusqu'au pastiche : moustaches, bonnets, chaussures délacées – tu as vu Serpico trois fois. Et les rues crades filmées en longue focale, avec papiers gras qui volettent. Avec le temps les rues crades ont acquis une aura plastique, comme tes photographes ne trouvent d'intérêt aux usines que désaffectées, vidées de leurs ouvriers. Le crade est dissocié de la saleté comme l'usine de la production. Le crade est devenu un style.

En toi l'art et le kitsch ne se distinguent plus. L'art est le kitsch. Opérée sous ta direction (artistique), la translation esthétique affranchit les objets de leur usage, réduit une époque à ses marqueurs visuels, décolle les formes de leur contenu, coupe l'œuvre de ses conditions de fabrication, de sa source vitale.

Le dandysme est ta version aboutie, qui radicalise tes opérations cardinales : le vêtement parfait comme recomposition du corps imparfait, la fleur artificielle qui rachète la naturelle. Les vêtements qui tiennent le corps, qui en tiennent lieu.

La forme rattrape le réel, comme un concours d'éloquence rattrape un jeune des quartiers, comme la lessive rattrape une tache de chemisier. Le réel est une tache à effacer ; de la matière à dématérialiser.

L'électro-pop, dans quoi tu as fondu le rock, dilue la matière dans l'éther de ses mixages numériques. Elle n'est pas le genre dominant mais le genre englobant, le centre de traitement de tous les sons. Sur ses nappes synthétiques où se liquéfient des voix neutralisées par des mélodies inoffensives, l'humanité réconciliée flotte, affranchie du vivant, disjointe de l'animal, désincarnée, déréalisée.

La série est ton art attitré. Elle non plus n'est pas une offre parmi d'autres, elle est l'art hégémonique. Elle se coule à merveille dans ta vie et te coule dans sa forme. Tout s'y fondra, comme la totalité de notre quotidien passera dans l'ordinateur sur quoi tu la regardes. Elle absorbera — absorbe déjà — ton peu de temps disponible à l'art. Le cinéma sera submergé par son raz-de-marée, préfiguré et permis par nos vies liquides. Cousue de plans que l'invariable caméra portée-fixe fait tanguer, la série flotte entre être et non-être, elle est à moitié tout, elle est de la culture mais pas trop, elle est de la culture consommable après une journée de travail, quand il te reste assez de force pour ne pas te finir sur facebook mais trop peu pour regarder un film, sa consistance minimale assortie à l'alimentation étique à laquelle tu t'es simultanément converti, assiettes plates clairsemées, poissons en filet, viandes émincées, de l'animal tu veux voir le moins possible, même cuit et réduit c'est encore trop de chair, bientôt tu y renonceras, la série est juste assez quelque chose pour n'être pas rien, elle n'est pas elle passe, elle n'arrête jamais, elle ne s'arrête sur rien, elle est un flux, aucun de ses plans ne vaut en soi, seul t'emporte son mouvement, sa fuite en avant, une scène en appelant une autre, la perspective de la scène suivante rendant digeste la présente trop lente, tout passe et une fois passé tu n'y reviendras plus, une série ne se revoit jamais, ce qui est gobé est gobé, tu n'en retiens rien sinon le flux même et les confuses impressions qu'il t'en reste, l'habillage général, la direction artistique, couleurs, sons, vêtements, formes flottantes – chair absente.

Le populaire t'indispose parce qu'il est en chair. Ses femmes bien en chair, ses Karine Viard à gros seins jurent à coté de tes égéries, filiformes et évanescentes, émincées comme tes viandes, leurs voix réduites à un filet, leurs chants au timbre minimal. Dans ton assiette de légumes comme dans le chant de Charlotte Gainsbourg la matière est évaporée.

Le populaire pèche par excès d'incarnation. À tes yeux, La vie d'Adèle péchait par frontalité sociale mais aussi par la morve quand ça pleure, par le gras au pourtour de la bouche quand l'héroïne ingère des spaghettis en gros plan. Le populaire est gras comme l'humour que tu méprises, le populaire fait tache, le populaire déborde et toi tu soustrais, tu épures, tu immacules, tes intérieurs chargés d'antan se sont vidés et désormais on y glisse sur des parquets ceints de murs blancs.

Les dix-sept qui parmi toi lisent encore aiment, de Modiano, le Paris passé. Non pour lui-même, non pour les décennies d'après-guerre en soi, mais parce qu'elles sont passées, et que le passé, c'est du réel évidé, réduit à des formes – ta nostalgie est un formalisme. Ce Paris est une idée de ville, croquée en quelques référents intemporels comme librairie, square, café, métro. Et Modiano n'aura livré que des idées de livres ; des esquisses.

Dans le souvenir et dans le rêve, ses deux signifiants fétiches, flottent des corps sans substance. Des identités vagues, sans caractère ni caractérisation. Tu aimes les répétitifs fantômes de Modiano pour ce qu'ils sont vierges de marqueurs sociaux. Tu aimes ses piétons vagabonds, sans maison ni raison sociale.

Cette langue décharnée embrume le réel comme on floute les visages d'une photo, ou de préférence son arrière-plan, en sorte que les personnages semblent de nulle part, d'aucun milieu.

De même que tu vides la forme, tu extrais l'artiste de son œuvre.

Tu es prompt à déplorer que les stars de la téléréalité, qui ont envahi tes écrans comme les insurgés de 1848 les Tuileries, n'aient aucun talent à faire valoir, aucune production. Mais ta scène artistique est surpeuplée d'écrivains, de musiciens, d'acteurs, dont les écrits, les chansons, les rôles comptent pour presque rien dans leur notoriété.

Des albums de Biolay, des dizaines d'albums qu'il a produits, tu retiens quoi ? À peu près rien si ce n'est lui-même, le dandy qu'il promène partout, les réminiscences gainsbouriennes que déclenche sa prestance gentleman. Gainsbourg sans la musique.

Te feras-tu croire que tu aimes Vanessa Paradis pour les dix films médiocres et la poignée d'albums dispensables qu'elle a livrés en trente ans ? Sa valeur n'est pas là. Elle est dans elle-même, dans l'idéale bourgeoise contemporaine qu'elle compose, dans ce cool-chic rehaussé d'une touche américaine par son long compagnonnage avec une grosse cote du marché du beau. Ses 156 couvertures de magazines féminins ne reflètent pas mais fabriquent sa notoriété. Elle aussi est connue pour être célèbre, selon l'expression consacrée. Vanessa est une Nabilla. Ce qui la sépare des tatoués des Anges de la téléréalité, ce n'est pas ses chansons, c'est leurs tatouages. Vanessa est tatouée sans doute aussi mais pas au même endroit, et pas du même motif.

Les stars de la téléréalité te déplaisent, non parce qu'elles sont sans œuvres, mais parce qu'elles sont sans classe.

En Benjamin, en Vanessa, c'est la personne que tu prises. Et à travers elles, toi-même. En les valorisant, c'est toi que tu valorises. C'est toi les aimant, c'est toi attestant ton goût en reconnaissant le leur. Les productions sont secondaires. Les producteurs sont invisibles.

On ne voit que toi.

Ancrées dans rien, tes adhésions artistiques fluctuent. Tu t'es aimé aimant Joey Starr, puis un peu moins, puis à nouveau si, les fluctuations étant beaucoup moins indexées aux livraisons de sa carrière solo qu'à l'indice de sympathie de la virilité, très sous-cotée il y a vingt ans puis remontée en flèche puis sans doute vouée à redescendre dans le contexte MeToo, en attendant les mouvements suivants, aussi aléatoires que la tendance féminine des cheveux blancs qu'une contre-tendance de la teinture assumée balaiera bientôt à renfort de livres disponibles sur Amazon pour 14 euros.

Mais dans ce domaine nul ne pourra te jeter la première pierre. Impure est la pratique de l'art. Le jugement esthétique charrie des critères qui ne concernent pas toujours en propre l'œuvre évaluée.

Pour une œuvre comme pour tout phénomène, il n'y a pas d'en propre.

Lepage a raison de rappeler que la valeur d'une œuvre d'art contemporain coïncide avec sa valeur spéculative, mais tort de lui opposer des arts qui, exigeant un savoir-faire, portent l'empreinte d'une main travailleuse, qu'elle écrive ou peigne ou manipule un archet. Il n'existe pas plus de valeur en soi d'une œuvre qu'il n'existe de concurrence loyale ou d'égalité des chances. Il n'y a pas de valeurs, il y a des valorisations, l'écart de légitimité entre elles ordonnant le jeu complexe des distinctions. La pratique de l'art est fatalement distinctive, et un esthète est tout autant sensible à l'art qu'aux codes de sa réception.

Contexte éducatif aidant, j'ai su tôt que je me valorisais davantage en valorisant Antonioni plutôt que Leconte, les Pixies plutôt qu'Indochine, Flaubert plutôt que Troyat. Et, trente ans après, goûts affûtés ou non, rien n'a vraiment changé : une œuvre que j'aime, je m'aime l'aimant. Elle me plaît parce que je me plais devant elle. Je plais à moi. Je m'aime bien. Je me trouve beau l'examinant, la parcourant, la commentant. Je me trouve beau à coté de Nabokov. Nabokov me valorise. Didier Super augmente mon capital anarchie.

Entre ta vie esthétique et la mienne, pas de différence qualitative. Il y a juste que je ne me plais pas devant les mêmes œuvres que toi. Je ne m'aime pas pareil que tu ne t'aimes.

Il y a aussi, pardon, que la courbe de mes goûts fusionne un peu moins souvent que la tienne avec la courbe des tendances. Elle aurait même plutôt la douteuse manie de s'en écarter.

On dirait qu'elle le fait exprès.

On dirait que je veux me distinguer de toi. Du présent et de toi. De toi qui définis le présent.

Très tôt, je me suis valorisé en marge des valorisations majoritaires. C'était notre norme à nous, jeunes gauchistes à Converse : tout sauf la norme. Antonioni était plus légitime que Leconte, mais nous étions beaucoup moins nombreux, devant

L'Avventura rediffusée au Cinématographe de Nantes en 1996, que les spectateurs de Ridicule au Gaumont d'à côté.

Agis par notre milieu, nous avions signé un pacte avec le peu. Notre goût impur du contrepied nous y vouait. Nous ne serions pas conformes et pas solvables. Antonioni était narcissiquement profitable et économiquement suicidaire. Plus tard nous fabriquerions des courts-métrages invendables, écririons des livres formellement disqualifiants aux yeux du gros des consommateurs culturels. Et nous nous en foutions. Nous nous en vantions. Le peu nous valorisait. La pauvreté était une élection.

Nous étions montés à l'envers.

Nous étions fils de fonctionnaires.

J'ai dit que les membres de la bande d'hypokhâgne avaient des parents de gauche, des parents souvent profs ou instits, mais le plus déterminant tenait à leur affiliation à la fonction publique.

Moi je suis dans le privé, avait dit un jour le père d'un copain de primaire au mien qui venait de se présenter comme principal de collège. Ce monsieur l'avait dit comme pour se disculper d'un vice. En tout cas, la nuance semblait lourde de conséquences. Elle l'était.

Relevant ce fait sociologique patent, tu en tires les conclusions les plus médiocres, les plus plates.

Tu en tires, cheminots à l'appui, que l'atavisme fonctionnaire consiste surtout dans la défense d'un statut que tu as l'obscénité coutumière, toi né riche, de qualifier de privilégié. Que les fonctionnaires sont de gauche par corporatisme, et par reconnaissance du ventre vis-à-vis de l'État.

Courte vue.

Qui rate la profondeur de la question. Qui rate la puissance du fonctionnaire. Celle qui fait écrire à Friot que ce statut est révolutionnaire ; que l'émancipation passe par son universalisation. L'avenir c'est tous fonctionnaires, toi compris.

Tu t'étouffes.

Un prof, qu'il prépare ou non son cours, sera payé pareil. Un guichetier de la Poste, qu'il soit aimable ou non, sera payé pareil. Tu as bien noté cet état de fait, et il t'exaspère. Y mettre fin te démange depuis des lustres. Le processus est engagé. Bientôt tu conditionneras le salaire des profs à leur mérite (?), à leurs performances (?), et en attendant tu les feras évaluer par les élèves les parents les proviseurs, à renfort de logiciels ad hoc – tu excelles à la codification du vivant. Tu veux intéresser les profs, comme chez Toyota on intéresse les salariés aux profits mensuels. Tu ne mesures pas le prix du désintéressement. Tu ne mesures pas la valeur d'un geste qui n'a pas de prix. Tu retiens le prof nul – celui que tu appelles tel –, tu retiens le postier tire-au-flanc voire antillais, tu occultes le guichetier zélé et le prof qui, n'ayant aucun intérêt financier direct (salaire) ou indirect (carrière) à préparer studieusement son cours prépare studieusement son cours. Tes radars de gestion négligent le geste pour le geste : le geste valorisé par sa seule exécution. Le prof se valorise en préparant un bon cours, et le guichetier en se montrant diligent. C'est une valorisation non lucrative, une valorisation en soi.

Du sourire de la boulangère, on ne saura jamais ce qu'il vaut humainement, puisqu'il est indissociable d'une visée commerçante. À supposer que cette femme soit bonne comme le pain, nul n'en sera jamais certain. Le fonctionnaire n'étant pas à son compte, ses actes ne sont pas strictement comptables, en tout cas pas sous les espèces du chiffre d'affaires.

Générés par des profs et des postiers, grandissant dans leur giron, incorporant un statut qui dissocie le salaire de la performance, nous avons développé des réflexes d'auto-valorisation. Antonioni ne paye pas mais me hausse. Jouer du punk-rock ne paye pas mais me comble. Moins ça rapporte et plus ça a de prix. Nous fonctionnaires fonctionnons à l'envers.

Pour acquérir des réflexes de valorisation financière, il a fallu que je quitte l'enseignement. Et encore, il s'est passé du temps avant que je m'ajuste à ma nouvelle situation de petit entrepreneur culturel gagnant sa vie en commercialisant ses écrits et autres travaux approchants. Avant que je n'assimile certains calculs, compliquant mes spéculations esthétiques de critères économiques. Avant que je ne me rende à un cocktail de rentrée d'un magazine culturel dans l'optique claire d'y asseoir ma position de pigiste. C'était la première fois, à 37 ans, que j'engageais une démarche non impérieusement contrainte (au sens où l'on est contraint à l'école ou à l'impôt) au titre de ma valeur sur le marché. Le fonctionnaire viscéral s'injectait dans le sang des particules libérales.

À l'idiosyncrasie fonction publique, on ne s'arrache jamais vraiment. Dans mon cas, la latitude financière offerte par quelques gains au loto culturel a fait que je suis vite retombé dedans. N'étant pas tenu au profit, j'ai pu garder des réflexes d'auto-valorisation. J'ai pu continuer la critique de cinéma moyennant des rétributions dérisoires dans le compte général de ma situation. Je la pratique encore parce que j'aime la pratiquer, parce que je m'aime la pratiquant, parce que j'aime qu'on m'aime la pratiquant.

Reste qu'aucun des gestes prodigués dans un domaine susceptible d'une valorisation financière n'est vierge de calcul économique. Je peux me targuer de passer douze heures à lire un roman en pure perte, pour la seule gloire de l'art, mais est-ce vraiment en pure perte ? Est-ce vraiment gratuit ? Un roman lu augmente mon capital culturel convertible en capital, soit que je le cite dans une interview, consolidant une légitimité monnayable en lecteurs et donc en droits d'auteur, soit que je réinvestisse certaines des réflexions qu'il m'aura inspirées dans mon travail littéraire, avec l'espoir de l'enrichir, de le rendre meilleur, et accessoirement d'augmenter sa valeur marchande.

Dès lors que je marchandise mon tropisme littéraire, il n'y a pas de travail studieux qui ne soit, plus ou moins directement, un investissement.

Rien n'est gratuit.

Rien n'est gratuit sur le marché. Un pied dedans et tout est entaché.

Mais toi tu as les deux pieds dedans.

L'écart entre toi et moi est d'un pied.

Énarque entré à l'Inspection générale des finances, tu me confies un soir que ta velléité d'écrire un roman est freinée par la conscience que c'est là une activité sans gain immédiat. Gain immédiat a l'air d'une formule courante dans ta sphère. En matière d'écrit, expliques-tu, le gain immédiat consiste plutôt à signer une tribune dans Le Monde. sur l'aménagement du territoire. Gain en capital symbolique, ou gain en capital tout court si tel collaborateur de tel ministre te propose, sur la foi de ce texte, de t'engager pour telle mission dans tel cabinet – en vertu de quoi le lecteur lambda ferait aussi bien d'ignorer ces tribunes qui ne lui sont pas adressées, qui tiennent de la communication peer to peer, de l'offre de service.

Sauf à compter parmi les 0,02 % de romanciers gros vendeurs, la rédaction d'un roman est une gabegie. 3 000 euros d'à-valoir pour 1000 heures de travail. Une des rémunérations horaires les plus basses de l'histoire de la rémunération.

Accident industriel en partie compensé par la valorisation sociale ; un romancier publié, même peu vendeur, fait son petit effet dans son petit monde. Mais aussi par l'auto-valorisation. J'aime écrire ; je me plais écrivant. Je m'aime fignolant une phrase, j'aime me trouver du talent dans le fignolage de phrase. Dans le présent livre, dont l'entrepreneur en moi gage que le produit d'appel (toi) attirera en masse un lectorat où tu es majoritaire, je peux m'arrêter une heure sur deux mots. Par exemple « attirera en masse » me déplaît. Je supprimerais bien « en masse ». Mais « en masse » injecte une nuance d'auto-dérision par l'excès. Je garde pour l'instant. J'y repenserai demain. À nouveau je dilapiderai mon capital temps à conjecturer sur un syntagme.

C'est assez bizarre comme vie.

Assez tordu.

Assez pervers.

La perversité qui dérègle le lien entre ma condition et mon système d'opinions vient d'abord de ce qu'au centre de ma vie j'ai installé la lecture et la production de textes longs.

D'un acte long de lecture ou d'écriture à sa rétribution, le chemin est oblique. Il y a un biais.

Je lis un roman de Bernanos. OK c'est une acquisition culturelle, à ranger dans mon coffre-fort symbolique, OK j'accumule les lectures comme d'autres les profits, OK la fréquentation de l'art ressortit autant à l'être qu'à l'avoir. Mais il y a un défaut de rentabilité, qui tient à un excès, à ces quinze heures intempestives, non productives, passées en compagnie d'un catholique mort. Quinze heures dans cette posture ne sont pas réductibles au calcul d'intérêt matériel. La pensée se perd, s'égare, bat la campagne, et à la fin la cruche se casse. Que je les convertisse en

monologue frimeur au café ou en préface rému-
nérée d'une réédition en poche dudit roman, 90%
de mes pensées en lisant seront perdues; n'auront
produit que le plaisir de penser. Une rétribution
en soi.

Nous autres fonctionnaires pervers refusions
de rallier la sphère privée. Nous travaillerions
puisque telle était la règle d'airain, mais autant
que possible sans intégrer le marché du travail.
Cette prévention contre la marchandisation de
nos neurones n'était pas morale mais vitale. Je
voulais qu'une partie de moi s'adonne indéfini-
ment à la joie gratuite de s'écouter penser.

J'ai volontiers laissé mon corps conditionné
s'orienter d'instinct vers la fonction publique.
J'avais besoin de la sécurité de l'emploi et d'une
rémunération constante découplée de mes
performances. Tu nous soupçonnes de paresse,
tu as raison et tort : nous sommes des employés
traîne-savates et des bosseurs fous. Je voulais
lambiner au turbin pour turbiner du cerveau. Je
voulais m'acheter des heures d'esprit libre, libre
de calculs de valorisation de ma force de travail.
Je voulais ménager, dans mon quotidien, des
espaces de rêverie auto-rétribués, des espaces de
disponibilité non lucrative à l'art. Et à la pensée.

Et toi ?

Toi qui n'es pas fonctionnaire, toi qui es « dans le privé », toi qui lis assez peu, lis de moins en moins, bientôt ne liras qu'utile – dans le TGV je te vois feuilleter un essai sur le transhumanisme –, puis ne liras plus – dans le TGV je te vois immergé dans le flux de Stranger Things –, risques-tu parfois une tête hors de l'eau, dans un espace d'auto-valorisation ? Reste-t-il un coin de ton cerveau qui divague inutilement, gratuitement ? T'accordes-tu cette gratuité, cette perte ?

Je crains que non.

Je crains que tes deux pieds dans le marché t'y enfoncent. Je crains qu'à vouloir tout marchandiser tu te sois privé toi-même d'espaces non marchands. Tu t'es pris au piège. Je crains qu'en marchandisant ton espace domestique, en le connectant, tu te sois dépossédé d'un dernier havre possible. Je crains que désormais tu n'appréhendes tout sous le rapport de la valorisation financière. Je crains que ton incapacité à envisager le réel sans le filtre de sa rentabilisation soit définitive.

Tu n'y es pour rien. Tout le monde n'a pas eu la chance d'avoir des parents fonctionnaires. Les tiens sont des marchands, ou sur le marché. C'est depuis cette position sur le marché que tu penses. Que tu ne penses pas.

Ta condition l'exclut.

Je justifierai cette injuste allégation en reprenant ta condition au début. En repartant de la
matière. De ce que tu fais de la matière.

Quel est le concept générique de la vie d'un
riche ? s'interroge William Will en introduction
de L'inconsistance structurelle de la bourgeoisie,
aux éditions Justine. C'est le congé donné à la
matière, se répond-il. Le gain de confort connexe
à l'enrichissement peut se lire comme une déma-
térialisation du quotidien. Propriétaire, le riche
paye des charges qui lui offrent l'apesanteur
de l'ascenseur et le dispensent de l'escalier, des
marches, de la pierre des marches qu'amortit au
besoin le tapis caractéristique d'un immeuble
huppé.

L'argent vous gratifie de journées sous cloche,
continue Will. Mon appartement est chauffé ?
Il m'abrite de l'assaut mordant de l'hiver.
Climatisé ? La canicule ne me tuera pas. Donne
sur un jardin ? Les bruits de la rue m'attein-
dront aussi peu que la bave du crapaud n'atteint
la blanche colombe. Riche, je suis une colombe.
Je virevolte cent mètres au-dessus du sol. Je suis
un hit mondial d'électro-pop. Je suis Pharrell
Williams sur une musique de Daft Punk, voix
suave, tessiture veloutée, nappe de son. Je plane
et fais planer. L'avion où souvent j'embarque

fend du gaz. L'air t'englobe, tu deviens global, tu deviens de l'air. Rien ne résiste, rien n'existe. Ta condition c'est l'aréalité – néologisme pédant imputable au seul Will.

Le chapitre 3 complète : le bourgeois n'a pas de contact avec le réel parce qu'il sous-traite ce contact. Une bonne, ça fait dans la journée beaucoup de matière en moins à toucher, porter, palper, emballer, ranger, sortir, rincer, découper, peler, écailler, écosser, émincer, beurrer, saler, disposer dans le plat, servir, desservir, nettoyer, essuyer, évacuer dans un sac poubelle à porter jusqu'à la benne. En outre, confiant ses enfants à une garde, le riche délègue la gestion du caca, de la morve, des cris, des bobos au genou (sang, croûte, pus). Conclusion de Will : la bourgeoisie n'est pas plus déracinée ni dénaturée que moi, elle est juste inconsistante, et son vide la fait sonner

creux.

La transformation de la matière par intervention de l'homme s'appelle le travail. Les hommes sur lesquels le détenteur du capital se décharge de cette tâche s'appellent des travailleurs.

Le bourgeois possède la maison et l'habite, le domestique en maintient ou augmente le prix en l'entretenant. Le propriétaire d'une usine n'y travaille pas, mais ses ouvriers, dont il monnaye une partie de la force dite de travail en masquant cette usurpation au prix d'un tour de bonneteau auquel tu es sans savoir que Marx consacre le livre 1 du *Capital*.

Tour qui ne réussit qu'à la condition d'être invisible.

Le système économique advenu avec et par la bourgeoisie repose sur une dissimulation, inscrivant la dissimulation dans tes gènes de classe.

Aujourd'hui tu spécules plus que tu ne produis – fais produire. Tu possèdes plus souvent des actifs financiers qu'une usine, plus souvent des biens immobiliers que des machines-outils, mais ces modifications séculaires n'ont pas modifié tes manières. Pour ce qui est de masquer les opérations de fructification de ton capital, ton savoir-faire est intact.

Tu as peur que cela se voie. Ton hostilité au naturalisme et tes éditos contre le tout-transparence participent de cette peur. La lumière crue jetée par un film sur le réel et l'accès aux comptes des dirigeants pourraient dévoiler tes petits secrets.

Tu protèges le secret des affaires, tu maintiens le verrou de Bercy.

Toi l'ouvert, tu verrouilles.

Le sentiment d'imposture ou d'illégitimité que tu confesses à l'envi laisse perplexe. Si je postule avec Lagasnerie que le monde social est faux avant d'être injuste, il n'est aucune position sociale vraie au regard de laquelle un individu puisse considérer la sienne fausse, ou illégitime. Si tout sujet social est un imposteur, aucun ne l'est. Imposture et illégitimité sont des mots gazeux dans lesquels dissoudre ton embarras quant aux modalités de ta réussite, dérogatoires à ta charte méritocratique.

Imposture masque et révèle ton scrupule d'héritier. L'héritage de ton capital fait de toi un endetté de naissance, et cette dette te grève. Seul le capitaliste impénitent hérite sans vergogne. Toi tu es un nanti contrarié ; tu es de cette droite si complexée qu'elle a pu parfois se croire de gauche.

Il est admis que les riches squattent les divans parce qu'ils en ont les moyens. Mais c'est surtout que leur endettement natal est névrogène. Un pauvre n'a aucun compte à rendre à des ascendants qui par définition ne lui ont rien transmis. Bien plutôt devrait-il s'affirmer créancier, et exiger d'eux qu'ils s'amendent du merdier dans lequel ils l'ont jeté.

Pourtant tu ne sociologiseras pas ta névrose. Ton introspection tarifée convoquera à la barre un père égoïste, ou violent, ou inconnu, ou incestueux, une mère folle, ou envahissante, ou toxique, ou morte, un prof de piano sadique, deux ou trois pervers narcissiques, mais jamais l'air irrespirablement bourgeois dans lequel baignaient. les personnages de ce biopic. L'autoanalyse de classe n'est pas ton fort.

Dans le récit que tu m'as parfois livré de ton parcours, un maillon toujours manquait. De ta fac de droit à Lyon à ton entrée comme scripte à Canal +, de ton master en linguistique à la gestion des droits audiovisuels chez un éditeur, de tes trois ans d'enseignement à ton bar à vin dans le vieux Lyon, manquait toujours l'épisode pourtant décisif où intervient la main invisible du réseau, le piston pour un stage chez Universal converti en CDI, le prêt bancaire garanti par un père d'autant plus dispendieux que divorcé, la plus-value sur un appartement hérité – comme moi. Tu escamotes les facilitations de classe comme un magicien tait son truc.

L'ellipse est souvent – pas toujours – inconsciente. Tu ellipses par omission. Les facilitations de classe sont si inhérentes à ta condition qu'elles te semblent un donné, un donné social que tu en viens à appeler nature et qui, ainsi renommé, ainsi maquillé, échappe à ta vue.

Ce que j'appelle bêtise ne tient pas à la dissimulation en soi – il y faut un peu de cette finesse dont tu ne manques pas – mais au fait qu'elle a fini par te leurrer. Tes conneries tu as fini par les propager en toute bonne foi. Léa Seydoux est de bonne foi quand elle se prétend formée à l'école de la vie.

À la fin, tu crois vraiment que tu t'es fait tout seul.

À cette étape de ta sociodicée – de la fable justificatrice de tes privilèges – interviennent les rencontres. Léa Seydoux s'est faite au fil des rencontres. Chaque Modiano aurait pu, comme le dernier en date, se placer dès l'incipit sous la protection de ce Dieu bien commode : « Un jour, sur les quais, le titre d'un livre a retenu mon attention, Le temps des rencontres. Pour moi aussi il y eut un temps des rencontres. » La rencontre est l'autre nom du hasard ; rencontre et hasard se substituent à une nécessité plus prosaïque, une logique d'ici-bas, l'implacable socio-logique de ta réussite.

Un soir, piqué au vif par ma ritournelle alcoolisée sur la reproduction bourgeoise du personnel théâtral, tu défends ton bout de gras, ton bout de mérite. Tu n'as eu aucune voie d'accès privilégiée au métier de comédien, tu n'es pas de la balle, ta famille n'avait aucun lien avec ce milieu. Mais alors, dis-je, comment ça s'est fait ? Réponse : ça s'est fait comme ça.

« Comme ça » signifie : par la grâce de ta seule envie. Il se trouvait qu'un écrivain sud-américain croisé à 20 ans t'avait parlé de théâtre et t'avait donné envie.

Modianien en diable, le verbe croiser suggère un processus aléatoire. L'hasardeux croisement entre deux électrons pris dans un mouvement brownien.

Emporté par ma ritournelle, je t'avise que ce pur hasard n'est pas donné à tout le monde. Moi par exemple je n'ai, entre 0 et 30 ans, croisé ni auteur sud-américain ni rien qui y ressemble. Où avais-tu donc croisé le tien ? De quel chapeau sortait-il ?

Tu hausses les épaules. Tu as oublié ce détail insignifiant. Ta rencontre avec l'auteur sud-américain tient du destin, ou de sa variante nommée vocation. Tu es devenu comédien parce qu'il était écrit là-haut que tu le deviendrais.

L'auteur sud-américain avait surgi de nulle part. Comme les ors du palais de Peau d'Âne. Comme les buffets vernis de ta maison d'enfance, remplis pendant la nuit de marchandises comestibles mises en boîte par personne, juste livrées – tu ne connais pas de travailleurs mais des livreurs.

Ce que j'appelle bêtise est une modalité de la pensée magique, ce récit hors sol où les objets sont déliés de leur chaîne de fabrication, les faits détachés de leur chaîne causale, les mots délestés de leurs référents, et dès lors ils voguent dans le ciel, toutes amarres larguées, tout ancrage révoqué, flottant comme tes raisonnements, éthérés comme tes discours.

Ton prétendu sentiment d'imposture est la rémanence vaguement honteuse de l'usurpation séminale qu'on appelle plus-value. Usurpation par le capital d'une partie de la richesse produite par le travail. D'autres marxiens traduisent le terme allemand par survaleur, craignant que plus-value tisse une analogie avec le bénéfice de la revente d'un appartement rénové, ou avec la valeur ajoutée dont ton babil commercial se goberge, et laisse ainsi accroire qu'il y a, dans l'écart entre la rémunération du producteur et le prix de la marchandise produite, un fondement objectif. Qu'il est possible que la valeur marchande d'un produit manufacturé ait quelque rapport avec sa réalité objective. Ce que tes économistes idéalistes appellent un juste prix. Or une marchandise n'a pas plus de valeur objective qu'une œuvre d'art. Il n'y a pas de titrisation objective.

Aveugle aux structures, tu dis que le capitalisme ne doit pas être éradiqué mais amendé. Tu dis que c'est la finance et non le capitalisme qu'il est urgent de réfréner. Mais les banques n'ont pas été inventées en 2008. Le capitalisme est d'emblée financier. La bulle spéculative de la tulipe n'a pas éclaté hier mais il y a quatre siècles. Toute spéculation crée une bulle. Toute monnaie est fiduciaire – repose sur la confiance. Même au temps de l'étalon-or. Si précieux soit-il, l'or n'a de prix que parce qu'on l'a valorisé. Toute monnaie est de singe si personne ne lui attribue de valeur. Il n'y a pas de juste prix, il y a le prix qu'on donne. Toute valeur est performative, comme un sport n'est à la mode que s'il est décrété tel. Ta pensée-mode emprunte au mode de valorisation du capitalisme.

Ton capitalisme extensif a étendu son empire sur toi. Tu es pris dans le cauchemar de la valeur. La valeur te poursuit, hache à la main. Tu tâches de lui échapper, mais elle te rattrape, elle s'abat sur toi, ou pose sa main souillée sur ton épaule, elle est un zombie qui vampirise tes jours.

Tu t'es mis au yoga. Tu t'inities à des spiritualités qui invitent à se détacher des biens matériels, de la comptabilité, de l'avoir au profit de l'être, de la surface au profit des énergies intérieures et nanani. Tu reconnais que ta vie ne s'en trouve pas chamboulée, que reconnecté ou non à tes chakras ce n'est pas demain que tu abandonneras ta maison à une famille rom, mais au moins cette pratique, poursuis-tu, t'offre-t-elle une niche de désintéressement dans ta vie d'homme-marchandise. Mais es-tu bien certain que ta semaine dans un ashram ou tes week-ends sans connexion ne procèdent pas aussi de l'optimisation de potentiel ? N'as-tu pas été convaincu de t'inscrire par une plaquette qui, parmi les bénéfices du yoga, mentionnait le gain de sommeil ? N'as-tu pas mentalement converti ce gain de sommeil en gain de productivité ? Es-tu encore capable d'une vacance véritable ? D'une vacance qui ne soit pas de l'ordre de la récupération, du ressourcement pour revenir plus performant ?

On ne saura jamais. On ne saura jamais si le sourire de la boulangère est sincère. Il ne peut plus être question de sincérité. On ne saura jamais si ton mariage avec une héritière tient de la fusion de capitaux — comme ta classe ne s'en est longtemps pas cachée. On s'imaginera que c'est un peu les deux : que l'amour et l'intérêt ne s'excluent pas, comme parfois l'utile et l'agréable, le gratuit et le profitable. Simplement, tu ne sauras jamais selon quelle part. Tout cela est mélangé, est confus, dans ton esprit la confusion règne, tu te perds de vue, tu n'accèdes plus à ta vérité.

Tu es hébété.

Emporté dans le flux de la vie profitable, tu te raccroches à des prescriptions de développement personnel, à des adages publicitaires qui dressent a contrario un parfait tableau de ton quotidien : savoir perdre du temps, se centrer sur l'essentiel, transmettre une planète propre à nos enfants, l'argent n'est pas le but mais le moyen, rendre service est notre métier, chacun doit faire sa part.

Et de quel nom générique emballes-tu cette poésie ? Valeurs.

Tu as des valeurs.

Ton entreprise a des valeurs.

Ta république a des valeurs.

Les valeurs portent bien leur nom pénible : elles sont des actifs verbaux s'appréciant et se dépréciant à raison de l'autorité, auto-décrétée aussi, de ceux qui les performent. S'il y a un caractère fétiche de la marchandise, tes valeurs sont une marchandise. Une aura les entoure, produite par le degré de conviction mis dans leur incantation. Le ton convaincu pour dire qu'on place la liberté au-dessus de tout (au-dessus de l'égalité, faut-il entendre) dispense de préciser quelle liberté et au bénéfice de qui. La liberté en soi a toujours la cote. Sa profération réitérée entretient sa réputation, comme un logo de marque sur un maillot de basketteur ou dans une scène de blockbuster.

Ta promotion de la liberté relève du placement de produit.

Lors de la saison printemps-été 2015, la bourse des mots a enregistré une valorisation maximale de la fraternité sur le marché des débats, avec titres de livres qui la mettent à l'honneur, philosophes de plateaux qui la psalmodient, lancement d'un mouvement œuvrant à la répandre, projet d'un ministère à elle dévolu, et puis c'est retombé.

À la fin, et dans un juste retour de nomination, tu ne dis plus que : valeurs. « Les valeurs » suffit. Ou : nos valeurs. Nos valeurs ne s'expliquent ni ne s'argumentent, elles se valorisent. Et ainsi nos valeurs valent.

Ta ruée vers le secteur du conseil et de la communication, où la valorisation est le cœur de métier, n'a pas aidé à reconnecter ta langue à la réalité, ni la marchandise à son industrie. Je t'ai connue community manager d'un site de design équitable, où pour augmenter le nombre de clics tu œuvrais à augmenter le nombre de clics. Le nombre faisait la valeur qui faisait le nombre qui faisait la valeur, et dans cette boucle tu n'avais affaire qu'à toi. Chaque acte t'enfermait dans ta bulle et tu n'en es certes pas sortie avec ta spécialisation ultérieure dans la i-réputation, qui littéralise l'antique technique de valorisation boursière par la rumeur. Même sans étals de fruits, ni usines de poulets, même sans graisse sur les mains ni crayon sur l'oreille, tu reconduis dans ces métiers les opérations primitives du système marchand.

Tu feras valoir – valoir – que certains d'entre toi ne sont pas marchands, mais journalistes, scénaristes, concepteurs de films d'animation, numéro 2 d'une collectivité territoriale, expertes en agronomie pour une coopérative d'exploitants bio. Ce sera oublier que ces domaines d'activité sont soumis, et toujours davantage, aux non-lois du marché ; que bon gré mal gré tu t'y plies à la nécessité alimentaire d'y augmenter ton prix – rien n'est gratuit.

Oublier en outre que tu as pu hériter de l'idéologie marchande comme de ton appartement – il a bien fallu qu'au stade initial de ta généalogie familiale le capital s'accumule, et des commerçants parmi tes ancêtres pour l'accumuler.

Oublier qu'un possédant reconduit toujours à des logiques de valorisation de ses possessions, faites de calculs et de placements dont le modèle est un business model. Un avoir se gère comme une boutique, développe des réflexes commerciaux et l'idéologie afférente.

Contradiction apparente : dans le même temps que tu dénonces sous le nom d'économisme le pli marxiste d'expliquer une société par l'économie, tu opposes à ceux qui œuvrent au progrès social, défendent des acquis, luttent pour en obtenir d'autres ou pour soustraire au marché des domaines comme la santé, l'épanouissement, le loisir, l'envie de disposer de soi, le droit à ne rien foutre, à ceux-là tu opposes les lois d'airain de l'économie. Contradiction qui n'est qu'apparente. Contradiction retournée en logique si l'on remet les mots sur leurs pieds. Côté cour, laisse-moi te rappeler que la pierre d'angle de l'édifice marxiste ce n'est pas l'économie en soi mais le rapport social, ordonné au rapport de production. Côté jardin, ce ne sont pas les lois de l'économie que tu opposes à ce que tu appelles des utopies – comme si ta foi dans la rationalité du marché n'était pas utopique – mais des lois du commerce. L'économie ne t'intéresse pas ; par crainte intuitive d'en découvrir l'arbitraire, tu te gardes d'élucider la nature profonde de la dette sur laquelle reposent tes montages bancaires. Ce qui t'intéresse, c'est comment titriser les intérêts de la dette, comment endetter un pays ou une collectivité pour l'assujettir. HEC porte bien son nom, où tu n'étudies pas l'économie mais le commerce, examinant la meilleure façon d'y prendre ta part, colibri version entrepreneur. Ton pragmatisme porte exclusivement sur tes intérêts bien compris.

Aux gauchistes incurables de mon espèce, tu reproches, toujours approximatif sur le terme, leur biais idéologique. Variante : vous faites de la politique, pas de l'économie – faudrait savoir. Il est vrai que toi tu ne fais pas de politique. Tu fais, pardon pour ce retour à l'envoyeur, de l'idéologie. Partout tu diffuses ton idéologie de boutiquier.

La quasi-totalité de tes options morales ou humorales sont, de près ou de loin, rapportables à un foncier commerçant.

Ainsi je liais ton avènement au cool au processus général de déchristianisation. Sauf qu'on ne se déchristianise pas un beau matin, foudroyé par l'évidence du Ciel vide. En expliquant un phénomène par lui-même, je donnais à mon tour dans l'idéalisme. Plutôt qu'une cause, la déchristianisation est une conséquence. Quoique les chrétiens réels, autorités ecclésiastiques en tête, se soient autorisé bien des écarts avec leur texte fondateur, l'empreinte chrétienne était un obstacle au commerce, à l'accumulation. Il fallait, écrit en substance Bloy, qu'à l'Évangile originel fût substitué l'Évangile des affaires, et au corps sacré du Christ le fétiche de la marchandise.

Si tu n'es pas rétrograde, c'est d'abord parce que, au moins en théorie – dans les faits les fillonistes affairistes ne se comptent plus –, les rétrogrades ne font pas de bons commerçants, subordonnant le négoce à d'ancestrales valeurs improductives, encombrant leurs échoppes d'antiquités invendables comme la grandeur de la France, la Chrétienté, la Civilisation. Le c'était mieux avant est moins une fâcheuse radoterie qu'un frein commercial. Toi, tu ne veux ni freins ni barrières, tu veux la circulation effrénée – des marchandises. Que le temps avance vers le pire ou le meilleur, que le iPhone améliore l'humanité ou la gâte n'est pas ta question. Il avance, et un boutiquier doit vivre avec. Toi les iPhones tu les vends ; ou tu t'en sers pour vendre, ou tu t'en sers pour accélérer les flux et compresser le temps qui est de l'argent. Ton admirable ouverture est stratégique : c'est celle du vendeur de lave-vaisselle rafraîchissant sa devanture pour l'ajuster aux codes contemporains de l'attractivité. Ta disponibilité au neuf est une resucée de la vieille nécessité marchande de suivre l'air du temps.

Et même de le précéder. Le commerce se maintient s'il renouvelle ses produits ; ta religion de l'innovation n'a pas d'autre fondement. Or un consommateur change sa télé avant la panne s'il est persuadé que la nouvelle télé proposée à l'achat est supérieure, et c'est à toi de l'en convaincre. Tu dois annoncer l'obsolescence de l'objet actuellement possédé, si tu ne l'as pas tout bonnement programmé comme tu en as l'illégale manie. La supériorité du nouveau sur l'ancien est ton boniment de base.

La modernité de ton candidat n'était qu'un décalque politique de ce boniment. Macron n'était pas moderne, il était neuf, comme un lave-vaisselle. Son argument de vente tautologique était : prenez-moi car je suis nouveau. Prenez-moi car votre lave-vaisselle actuel est périmé. Le commerce exclut par nature que ce soit mieux avant ; en commerce c'est toujours mieux après. Le produit d'après doit être perçu comme plus aimable que celui d'avant. Macron était moderne au sens où le iPhone 8 est moderne par rapport au 7. Ce qu'il entendait par vieux monde, était-ce la Ve République ? La bourgeoisie amiennoise qui l'a couvé ? Le travail ? La société industrielle ? L'armée ? L'agriculture productiviste ? Rien de tout ça, qu'il allait au contraire raffermir. Le vieux monde c'était l'iPhone 7.

À ton idiosyncrasie commerçante se rapporte aussi ton irréprochable tolérance.

Tu promeus l'émancipation des femmes par féminisme, n'en doutons pas. Mais aussi, et inextricablement (tu t'y perds, tu te perds de vue), parce qu'une femme émancipée du foyer devient productive – aussi vrai que ton plan pauvreté vise, nonobstant ton grand cœur, à rendre les pauvres employables, et Parcoursup à éjecter les étudiants inutiles de la fac pour les mettre sur le marché du bullshit job. La femme était déjà productive en enfantant, elle le sera doublement en conciliant maternité et travail. Tes magazines organiques promeuvent ces warriors en jupe, de retour au boulot deux semaines après l'accouchement.

Aussi bien, les minorités sont une niche de consommateurs. Les Noirs, les jeunes, les musulmanes, sont des niches, comme d'autres groupes et sous-groupes dont la valorisation politique nourrit sinon prépare la valorisation marchande. Celui qui donne l'argent n'a pas d'odeur. Réglés par un Indien ou un cow-boy, 10 euros demeurent 10 euros. Tu prends le billet et tu ne regardes pas plus loin. Tout ton progressisme tient dans cet opportunisme marchand. Ton ouverture d'esprit, tant revendiquée face aux étroits de tous bords, n'ouvre que des marchés. Les discussions que tu prétends sans tabou portent sur l'ouverture du domaine public à la concurrence, sur la levée de certaines protections salariales. Ouvert d'esprit, tu discutes sanstotemnitabou de la privatisation du système de retraite.

On n'a peu relevé la proximité d'En marche et de marché. On a peut-être bien fait, ce pays se paye déjà trop de mots, mais dans l'homophonie se niche au moins l'évidence que cette marche vaut symbole de ta mobilité obligée sur le marché, où tu dois bouger ou mourir, changer ou péricliter. L'identité te rebute aussi d'abord en cela. L'identité est statique et tu ne perdures qu'en mouvement. Tu dois inventer pour croître et l'identité par définition ne se réinvente pas.

Ta passion conservatrice est de durer, de pérenniser ta boutique. Mais une maison perd de sa valeur si tu ne la rénoves pas. Alors tu rénoves, tu innoves. Tu es condamné à croître. C'est le piège que ta fatalité accumulatrice a tendu à la planète, et à ton intelligence.

L'argent ne dort jamais et toi non plus.

Tu dois sans cesse t'amender pour te maintenir. Ainsi tu dis une chose puis le mois suivant son contraire. Tu dénigres la voiture que tu vantais l'an passé pour fourguer le nouveau modèle. Ou la nouvelle tendance, le nouveau concept advenu par la grâce nominaliste d'un nouveau mot. Ton dernier livre porte sur le bonheur que tu opposes au bien-être et dans un mois ce sera l'inverse.

Changer pour que rien ne change, tout bazarder pour que business as usual : ton conservatisme proactif épouse la marche sur deux jambes de tes affaires. Rente et investissement. Propriété et extension. Patrimoine et spéculation. Bourgeoisie d'hier et de demain.

Conservateur progressiste.

Ton anti-déclinisme est la projection idéologique de la valeur nodale du commerce, qui n'est pas la qualité du produit ou la proverbiale royauté du client, mais la confiance.

Le moteur de la croissance est la confiance dans la capacité de croissance. Le marché performe si les possédants ont confiance dans ses performances, et dès lors investissent. La croissance tient de la prophétie auto-réalisatrice. D'où ta mauvaise humeur contre les prophètes de malheur, les rabatteurs d'enthousiasme. Ces déclinistes vous cassent l'ambiance en salle de courtage. Ils envoient des mauvaises ondes aux actionnaires. En symétrie inversée de la confiance qui donne confiance, le discours sur le déclin provoque le déclin – en décourageant l'investissement.

Tu dois prétendre que tu es fort pour l'être. Ta pénible assurance est celle dont on se pare devant un banquier. Ton assurance vise à t'assurer, comme le décret d'une mode détermine la mode.

Si la France est une marque, comme il en est désormais de tes régions ou de tes villes rebaptisées métropoles pour faire du gringue aux investisseurs étrangers, elle doit se vendre et non se flageller. La dévaloriser lui fait perdre de sa valeur et éloigne les banques.

Tu alternes alors acrobatiquement entre le refrain sur le retard de la France – pour justifier les réformes structurelles — et sur ses capacités. Synthèse : la France n'est pas en déclin mais en sommeil. Il faut juste la réveiller. Il faut libérer ses talents, ses forces vives. Il faut libérer le marché. Clamer France is back pour provoquer son retour.

Le « positivisme » macronien tient de l'allant du petit patron résolu à dynamiser son équipe par contagion, ou du sourire engageant du VRP qui veut gagner la confiance du client. À la fusion du commerce et de la communication se forme son sourire communicatif.

Le cool t'est d'abord venu par là. Par la nécessité que ce sourire séduise. Le bourgeois originel ne cherchait pas l'assentiment du client — pas au-delà du minimum requis pour qu'il vide sa bourse. Toi ça t'importe qu'on t'aime. Ce souci ne t'est pas venu par mutation psychologique ou suggestion bouddhiste, mais par nécessité capitalistique.

Noyé dans la saison 10 de Game of Thrones, tu n'as pas entendu Stiegler et d'autres narrer une évolution décisive au tournant du XXᵉ siècle. Confrontée à la baisse tendancielle du taux de profit au sein d'un marché saturé, le capital doit créer de la demande. L'extension coloniale n'y suffisant pas, il stimule la demande intérieure des pauvres, qui ont cette qualité lucrative d'être nombreux. Il s'efforce alors de créer, non pas exactement de nouveaux besoins, mais de nouvelles pulsions d'achat. Au strict besoin, il ajoute le désir. La marchandise sera moins utile que désirable. Il en suscitera le désir en la décrétant désirable – mimétisme, circularité, mode. Dès lors la marchandise se fait chatoyante, engageante comme un sourire. Elle se départ de la raideur sèche du produit de nécessité. Elle ondule sur place pour attirer ton attention. Elle fait des clins d'œil coquins. Elle fait un peu sa pute.

Le siècle avançant, le principe de plaisir est élargi aux producteurs. À l'unisson du consommateur censé jouir de consommer, le travailleur est convié à jouir de travailler. On s'assurait qu'il fasse le boulot, on veut désormais qu'il soit motivé à le faire. Qu'il s'épanouisse dans le travail, s'émancipe par la start-up. Qu'il soit corporate. Qu'il se soude dans des séminaires. Qu'une cohésion règne à tous les étages, entre tous les postes, tous les grades. Qu'on soit une team, et un team ce serait encore mieux.

Le management sera cool, sera *lean*. Zuckerberg donnera ses conférences en claquettes. Chaque lundi tu réuniras tes collaborateurs pour un briefing autour de fruits – pas de viennoiseries. Chacun sera amicalement convié à s'exprimer sanstabou. En cas de désaccord sur les orientations, on cherchera un compromis. On cherchera, entre le dur et le doux, entre le ferme et le mou, entre leadership et horizontalité, un juste milieu.

La superstructure idéologique de ta condition commerçante est le centrisme.

Qui es tu ? Tu est un centriste. Tu es un centriste de gauche ou de droite. Un UDF tendance Servan-Schreiber, un socialiste tendance Rocard, un travailliste tendance Blair, un social-démocrate tendance Schröder, un chrétien-démocrate tendance Macron. Tu tiens l'Europe depuis l'après-guerre. Tu tiens la France depuis deux siècles.

Mais tu ne te dis pas centriste.

Une fois tu m'as dit que tu étais humaniste. J'ai dit bon.

Un commerçant ne se situe jamais politique-ment, il risquerait d'y perdre un peu de clien-tèle. Tu préfères grimer ta position, ta position sur le camembert politique et dans le système de production, en trait de caractère. Tu ne dis pas que tu es centriste, mais que tu es modéré. Tu as le sens de la mesure.

Les extrêmes sont inaptes à la mesure, CQFD. Pendant la campagne, tu avais peur dèpopu-lismes et dèzextrêmes. Interrogés sur leur vote, tes artistes organiques esquivent, arguant que c'est personnel, mais ajoutent : en tout cas pas pour lèzextrêmes. Car leur peur dèzextrêmes, pour le coup, n'est pas personnelle. Au contraire ils tiennent à l'exprimer – pour la répandre. Et les journalistes homogènes qui les interrogent attendent qu'ils se désolidarisent dèsextrêmes. Le reste, droite modérée ou gauche pondérée, gauche mesurée ou droite tempérée, est anecdotique.

Symétriquement, lèzextrêmes ne portent pas un projet politique mais extravertissent un tempérament outrancier. Invité par un animateur homogène à résumer Mélenchon en un mot, un de tes fondés de pouvoir sort : outrance. Et pour Le Pen, même jeu, même mot : outrance. Lèzextrêmes ont en commun des sentiments extrêmes. Ils sont dans l'excès, et les affaires du monde, le monde des affaires n'ont pas besoin d'excès. Au besoin tu ajoutes une citation de Talleyrand – ce qui est excessif est insignifiant –, que tu aimerais performative. Tu aimerais que lèzextrêmes soient insignifiants, non significatifs dans le compte politique, et qu'ainsi jusqu'à l'apocalypse tu restes entre toi.

Loin des excès dogmatiques dèzextrêmes, tu chéris le doute. Comme Descartes. Comme tant de grands esprits européens et tempérants comme l'inspirateur du nom du programme Erasmus qui dans le bilan de l'UE contrebalance favorablement l'humiliation des Grecs. Car la civilisation européenne, c'est l'examen de soi sans complaisance, c'est la pondération de soi par soi, les Cheyennes et les Incas s'en souviennent.

Tu ne comprends pas les gens inaccessibles au doute, car le doute c'est l'intelligence. Le doute, donc la nuance. Syllogisme : 1 la nuance c'est l'intelligence, 2 tu fais dans la nuance, 3 tu es intelligent.

4 ce livre se trompe.

5 toutes mes excuses.

Je veux bien reconnaître en toi une certaine capacité à la nuance. Tu peux te la permettre – la nuance est l'apanage de qui n'a pas besoin que la pensée se convertisse en acte. Tu dois te la permettre – modération as usual. Simplement, tu es un intermittent de la nuance. Sur nombre de sujets tu ne fais pas du tout dans la nuance. Par exemple ton refus dèzextrêmes est sans nuance. Ou ton dégoût de la peine de mort. Ou ton appel à alourdir les peines punissant le viol.

Mais ce sont là des évidences, diras-tu. Car pour toi il y a des évidences. Ton doute chevillé au corps n'exclut pas des convictions indubitables. Tu ne doutes pas qu'Obama soit plus fréquentable que Poutine. Tu ne doutes pas de la vertu de l'école obligatoire. Tu ne doutes pas que trop d'impôt tue l'impôt. Tu ne doutes pas qu'un patron doit gagner plus qu'un employé.

Tu ne doutes pas qu'un patron est nécessaire dans une unité de production. Tu ne doutes pas qu'il soit juste qu'un fils hérite du voilier de son père. Tu ne doutes pas des vaccins, et qu'en nuancer le bien-fondé relève du complotisme. Tu ne doutes pas que la France est une démocratie. Tu ne doutes pas que la sortie de l'euro provoquera une troisième guerre mondiale voire une quatrième – ta langue modérée fourche dans l'excès. Pour quelqu'un qui n'aime pas lèzextrêmes, tu es extrêmement campé sur tout un tas de positions. Denault te situe à l'extrême centre, je souscris. Tu es extrêmement au centre, tu t'y es résolument enchaîné, comme un intégriste aux grilles d'une clinique d'avortement. Tu ne lâcheras rien.

Tu en deviens teigneux.

Un soir que nous nous retrouvons après vingt-cinq ans, j'observe au fil des minutes combien sans nuance tu es devenue ce que tu étais. En remplissant nos flûtes, tu rappelles qu'au collège je te traitais de bourgeoise pour te faire bisquer. Ce soir-là, je ne réitère pas la pique, elle est devenue cruelle car irréversible. Tu ne changeras plus. Aucun miracle ne rétrécira ton grand salon meublé a minima, ne te lassera de tes fréquents séjours à Brooklyn avec mari et enfants, ne te déchoira de ton haut poste dans l'administration, ne réfrénera ta novlangue managériale à tous les coins de phrase, et bien sûr tu as voté Hamon au premier tour et Macron au second, et bien sûr la France est une démocratie, et bien sûr il faut réduire les dépenses publiques, et bien sûr multiplier les partenariats public-privé. Et bien sûr ta bêtise. Cousue d'énoncés moins consistants que le silence.

Un énoncé qui n'admet aucun contraire viable est moins consistant que le silence.

Qui vante l'humour pourrait aussi bien se taire car personne ne vante l'absence d'humour.

Qui célèbre l'ouverture d'esprit pourrait aussi bien se taire car personne ne prêche la fermeture d'esprit. Pourtant ce soir-là tu y insistes : l'ouverture est la valeur centrale que tu transmets à tes enfants. Intérieurement je me promets, devenu père dans une vie prochaine, d'organiser leur éducation autour de deux objectifs : les nourrir, ouvrir leur esprit. Or, quelques flûtes plus tard, tu manques de t'étrangler quand je confesse être un récidiviste de l'abstention. Non ça tu ne peux pas l'entendre. Ça ce n'est pas négociable. À cette option citoyenne ton esprit ouvert se ferme à double tour. Sur mon pense-bête éducatif j'ajouterai un codicille : ouvrir leur esprit mais pas à tout. Les ouvrir à vraiment tout sauf quelques trucs. Discuter de tout mais pas de l'indiscutable. Il y a une ligne rouge, au-delà de laquelle c'est la main encore tremblante d'intempérante colère que tu me ressers du champagne.

Ta retenue sort de ses gonds quand tu te sens en danger. L'abstention massive est un danger, elle peut délégitimer le vote qui te légitime, qui perpétue ton monopole de la domination légale. Quand les sondages donnent la France insoumise proche de tes scores, quand les excessifs ne sont plus totalement insignifiants, tu te braques, tu braques les baïonnettes sur la plèbe vociférante. Toujours sous la menace tu redeviens versaillais. Tu sors l'argumentaire de crise comme on sort les canons. Tu trouvais Mélenchon un excellent tribun avec ses petits défauts, désormais tu le traites d'ordure. Fin mai 2017 tu l'écris sur facebook en toutes lettres : ordure. À moi qui m'étonne d'un tel excès venant d'un modéré, tu concèdes que tu t'es emporté. Tu es un modéré option emportement. Un nuancé qui, en cas de force majeure, en cas d'offensive contre ta force majeure, ne fait plus dans la nuance.

Voici ta distribution des rôles sens dessus dessous. Voici que toi le pondéré tu insultes vertement le camp des excessifs.
En vérité, ta distribution des rôles a tout faux. Une fois de plus, tes mots tapent à côté. Excessif

n'a rien à faire là. Un type de la gauche radicale n'est pas plus excessif qu'un centriste. Comme son nom l'indique, il est radical. Sauf diagnostic par scanner d'une phobie de la modération, on peut tenir que ce n'est pas lui qui est radical, mais son analyse. Le remède radical qu'il préconise est à proportion de la radicalité du problème qu'il pointe ou subit.

Tu n'es pas centriste par refus de l'excès, tu l'es parce que tu n'estimes pas le problème si radical. À toi une refonte radicale de nos institutions ne s'impose pas, car tu ne les trouves pas si mal – pas plus mal que si elles étaient pires.

Tu ne préconises pas des mesures radicales de justice parce que la situation ne te semble pas radicalement injuste.

Ce qui est excessif est insignifiant si l'excès signifie la démesure. Mais la radicalité n'est pas la démesure. Elle est même peut-être la bonne mesure de la situation ; penser qu'elle l'est suffit à former, tout sang chaud mis à part, une pensée radicale.

La décision radicale d'une femme battue de quitter le foyer, tu ne la trouves pas excessive. Tu la trouves à la mesure de l'horreur que les violences domestiques t'inspirent.

Au mal radical du terrorisme tu penses qu'une réponse modérée est inappropriée. Une réponse modérée ne prendrait pas la mesure du mal. En ces circonstances tu estimes que l'instauration de l'état d'urgence, avec ses entorses radicales à l'État de droit, est bien le minimum.

Tu trouverais sans doute aussi que l'amputation est la réponse la plus ajustée à une gangrène. Il serait à l'inverse tout à fait déraisonnable de tabler que la gangrène de la jambe sauvée ne fera pas pourrir tout le corps. En l'espèce la raison est dans la radicalité, la déraison dans la modération.

La pertinence de la radicalité ne s'évalue donc pas dans l'absolu de la psychologie abstraite, mais dans le concret d'une situation. Ce que tu présentes comme un clivage de forme, modération versus excès, doit être requalifié en désaccord de fond.

Comme Google-étymo nous l'apprend, la pensée radicale prend le mal à la racine. Elle rapporte les faits sociaux à des faits de structure. Peu encline à déplorer les effets dont elle chérit les causes comme tu le fais si bien, certaine que les mêmes causes produiront les mêmes effets, elle préconise de changer la structure.

Si ta condition ne t'interdisait de voir que le capitalisme produit structurellement des désastres écologiques, tu t'aviserais qu'on ne sauvera la planète qu'en renonçant à la croissance qui est son mantra. Au lieu de quoi tu conçois les réformes environnementales dans les limites de tes impératifs marchands. Au gangréné tu

prescris des antibiotiques. Sa famille est soulagée :
elle n'aura pas à recourir aux grands remèdes ; elle peut une nouvelle fois voter au centre.

N'excluons pas que le capitalisme soit réformable, qu'il puisse incidemment générer du progrès social, ou que par une ruse de la raison environnementale il lui devienne plus profitable de décroître. Cela se défend. Plus nuancé que toi j'estime que tout se défend. Le présent livre n'entend pas démontrer que tu as tort, mais que tu ne penses pas.

Ta conviction que le capitalisme est intrinsèquement perfectible ne résulte pas d'une analyse ; elle ne s'est pas formée au regard de la réalité. Elle est un postulat, connexe à une nécessité. Tu ne peux pas envisager le dépassement du capitalisme, c'est-à-dire la subversion des rapports sociaux qui t'enrichissent. Tu ne scieras pas la branche sur laquelle tu commerces.

Ton refus de la pensée radicale-structurelle est a priori ; d'emblée un réflexe éduqué l'a refoulée, aussi sûr que tes parents t'alertaient contre l'homme à l'imperméable devant l'école. Il n'était pas question que les radicaux te chopent à la sortie. Tu t'es contenté de les regarder de loin, avec une vague fascination teintée, selon le niveau d'alerte, de mépris ou de peur.

Fidèle à ton cap, tu as repeint en choix libre ce refus conditionné. Dissimulant la vraie, tu t'es trouvée mille fausses raisons de snober la radicalité.

Parmi lesquelles le réalisme. Bourgeois en herbe, tu me disais : l'égalité c'est impossible, c'est utopique. Et moi gauchiste en herbe : admettons que c'est impossible, mais la souhaites-tu ? Et toi : c'est utopique. Et moi : mais la souhaites-tu ? Et toi : c'est utopique. On avait de bonnes discussions.

Parmi lesquelles aussi le refus du système. Sceptique revendiqué, sceptique sur tous les sujets sauf certains, tu n'aimes pas l'esprit de système. Le réel, dis-tu, ne se laisse pas enfermer dans un système, et on a vu que tu t'y connais en réel. Ton refrain : c'est plus compliqué que ça. Monsanto impose ses semences toxiques à la paysannerie mondiale mais c'est plus compliqué que ça. 100 milliards s'évaporent chaque année dans les paradis fiscaux mais c'est plus compliqué que ça, l'exil n'est pas la fraude, l'exil est juste de l'optimisation, optimiser n'est pas frauder, l'optimisation est légale, ce serait limite illégal de ne pas optimiser, ce serait déloyal, enfin bref c'est plus compliqué que ça. Le monde est compliqué. Rien n'est tout noir ou tout blanc.

Ainsi tu ne trouves pas Daech tout noir. Tu ne condamnes pas en bloc les égorgements en vidéo.

La lame qui tranche la gorge ne doit pas être jugée d'un bloc, elle est plus compliquée que ça.

N'est-ce pas ?

Parmi lesquelles l'URSS. La reine des raisons, la reine des justifications à ton boycott de la gauche radicale, c'est le socialisme réel, soviétique ou autre. On est fondé à ne pas lire un Marx qui a donné les goulags et les prisonniers politiques chinois. Le lire nous mettrait même en faute. Renvoyer au livre 1 du Capital, comme certains esprits archaïques ont l'indignité de le faire, c'est justifier Pol Pot.

Évidemment, tu es sans savoir que les premières critiques du régime soviétique sont venues de sa gauche, que ses premières victimes ont été les anarchistes. Tu es sans connaître Nestor Makhno ou Victor Serge. D'ailleurs, les connaissant, tu n'en aurais pas tenu compte dans ton verdict sans nuance. Que les anarchistes aient toujours été massacrés et jamais massacreurs ne les distingue pas sur le rayon de bibliothèque où tu les as calés avec le reste des ouvrages caduc de la constellation révolutionnaire. Vu de loin, vu de toi, tout ça c'est pareil. Ce n'est pas ton rayon. Tu passes ton chemin et fonces vers V comme Voltaire, ou C comme Camus. Des auteurs bien.

Des auteurs pas compromis. Voltaire n'a jamais soutenu Cuba.

Comme souvent ta propreté morale se paye d'une absurdité intellectuelle. Peser ensemble des citrons et des oranges est absurde. Les morts passés et futurs du communisme n'invalident pas les livres qui dessinent l'hypothèse communiste, parce qu'un fait est un citron et une pensée une orange. Un citron n'invalide pas une orange.

Pour une part la pensée a sa vie propre, appelant des critères d'évaluation spécifiques. Cette part tu la nies, tu refuses de l'explorer, grand mal te fasse.

Ce matin, ta tribune contre la commémoration de Maurras commence par l'affirmation qu'on ne peut « juger une idéologie si ce n'est en examinant les conséquences de son application ». Opinion réflexe. Routinière balise démocrate, suivie d'une liste de chefs d'accusation comme tu en as le secret. Tu es dans ton rôle de magistrat girondin. Pensant dans les coordonnées du raisonnable, tu fermes la porte à la part déraisonnable de la pensée. À cette part âpre et mal aimable de la pensée que pointe Wilde disant qu'il est plus facile de sympathiser avec la souffrance qu'avec la pensée. Cette part débridée, créative, libre, cette part folle et séduisante de l'être. Et donc à nouveau tu ne comprends pas.

Tu ne comprends pas que cette « sous-idéologie » ait eu « une influence aussi considérable ».

À aucun moment tu ne renverseras le raisonnement : si l'idéologie maurrassienne a une telle influence, c'est qu'il y a en elle une puissance qui excède ses sottes préconisations, une puissance propre je le réécris. Tu ne veux pas le savoir. Tu restes sur tes bases. Tu es un sceptique qui ne doute de rien.

Pas plus que ceux de Maurras tu ne liras les textes de la gauche radicale que ses crimes censément déjugent. Au prix d'une hypocrisie toute libérale, tu tolères que ses livres existent, tu ne les brûleras pas, tu n'es pas nazi, tout en recommandant de ne pas les lire. Tu les laisses à disposition à condition qu'on les ignore. Qu'on fasse comme toi qui, les ignorant, t'emmures dans l'ignorance.

Du marxisme que saurais-tu dire, sinon qu'il est infréquentable ? À un kidnappeur rouge promettant de t'épargner en échange d'un résumé des trois opérations centrales de cette œuvre, tu dirais quoi ? Rien. Suspendrais-tu la présente lecture pour y réfléchir qu'il n'en ressortirait : rien.

À son grand dam, le kidnappeur rouge se verrait contraint de te pendre avec tes tripes.

De ton évocation in extremis de la lutte des classes, il apparaîtrait que tu la comprends à l'envers. Tu la comprends comme la lutte des classes inférieures contre les classes supérieures, alors que c'est plus sûrement et inversement la somme de manœuvres, de calculs, de stratégies, de discours que tu déploies pour inféoder et désarmer la plèbe.

En la matière il ne tiendrait qu'à toi, à deux ou trois notices glanées sur Internet, de me surprendre. Toutes ces années, j'aurais tant aimé que tu me bluffes. Qu'au détour d'une phrase de déjeuner tu évoques Kropotkine. Même pas un livre entier, juste une page, juste une citation chopée sur Facebook, une phrase. Une lettre. Une voyelle.

Tu ne m'as jamais fait mentir.

Avant tout c'est pour la conjurer que tu as ignoré la pensée radicale. Pensée magique : de même qu'en un claquement de doigts tu évapores la chaîne de travail d'où sort la marchandise, tu croyais que le maintien de la radicalité hors de ta vue ferait qu'elle n'ait jamais existé.

Hélas elle a insisté. La gauche anticapitaliste, anarchiste, altermondialiste, appelle-la comme tu veux, a persisté. Marx a persisté. Le texte marxiste, sa vertigineuse acuité, ses concepts féconds ont survécu à leur supposée application.

L'URSS passe, les écrits restent. Les pensées. Des tordus continuent à pratiquer Marx et ses continuateurs parce que ces textes sont forts et que les lire les fortifie, nous augmente, m'avive.

Ça insiste.

Toujours ça revient te hanter, comme un spectre oui. Ou plus sûrement t'agacer comme un moustique, car tu n'as rien à en craindre ; cette voix dissonante agace juste un peu ta volonté d'une concorde sans faille, d'une victoire totale de toi.

Elle t'agacerait moins si tu ne sentais pas qu'elle te donne un peu tort.

La tension entre le sentiment qu'une vérité se dit là et l'intuition que cette part de vérité te dessert créent en toi une nervosité.

Tu es nerveux.

De loin tu repères la puissance de Lordon parvenu jusqu'à toi par la médiatisation cool de Nuit debout, et cette puissance t'énerve. Tu dois tuer le moustique. L'insecticide t'est fourni, non certes par le contenu de ses analyses au moins aussi longues qu'une saison de Black Mirror, mais par l'écume spectaculaire du phénomène. Que Lordon ne condamne pas clairement l'éjection de Finkielkraut de la place de la République te suffit. Tu as ce qu'il te fallait. Le moustique Lordon est écrasé.

De Mélenchon, qui t'agace parce qu'il flatte ton goût bourgeois pour la rhétorique, tu cherches pareillement à sceller le sort d'un coup de baguette. En mars 2017, la formule a tenu en un mot, bolivarisme, dont la veille tu étais aussi ignorant que du patronyme du président du Venezuela. Peu importe : s'en inspirer comme fait Mélenchon est une faute éliminatoire. Et alors ce fut drôle, drôle au sens de pénible, de te voir grimer en cause une justification a posteriori de ton opposition de principe, de structure, de classe, aux Insoumis. De présenter ton non-ralliement à ce camp comme l'aboutissement d'une réflexion quand c'était son préalable. Quand il précédait une réflexion qui ne commencerait jamais – souvent pendant la campagne je t'ai trouvé bête.

Tu règles beaucoup de problèmes sans les penser, parce que les régler est plus urgent que les penser. Tu as autre chose à faire que de bloquer dessus douze heures comme le ferait un pervers improductif, un fonctionnaire en congé payé. Tu as une société à faire tourner, tu as le marché en marche, il faut qu'on avance, qu'on enclenche l'épisode 4 de la saison 2, qu'on sautille d'iPhone 8 en 9.

Tu as limité ton champ d'investigation théorique au plus utile, au moins nuisible. Ce que j'appelle ta bêtise ne vient pas d'une carence de ton cerveau au moins aussi bien fait que le mien, mais de ta manie héritée d'en limiter l'usage. Tu n'es pas bête, tu es, littéralement, limité. Tu t'es étroitement circonscrit. Tu as borné tes réflexions. Tu n'émancipes jamais tes raisonnements du cadre de la raison instrumentale. Tu penses utile donc tu ne penses pas. Une pensée en soi n'a pas d'usage ; n'a d'usage qu'en soi.

Ton esprit rarement s'aventure, sinon par mégarde, hors de la maison à protéger et rentabiliser.

Tu te séquestres dans le social-libéralisme, avec pour gardes le complexe libéral de la gauche, le complexe social de la droite. Le social-libéralisme n'est pas une pensée mais un compromis entre ces deux complexes. Son corpus idéologique s'est constitué par dosage : un peu de redistribution, un peu de marché ; un peu de justice, un peu d'autorité, etc. Avec l'espoir que les ingrédients s'additionnent sans s'annuler, et que la recette fédère assez de gens autour de toi pour prendre-garder le pouvoir.

Ton point de vue est celui du pouvoir et le pouvoir ne pense pas. Le bourgeois ne pense pas car il est l'autre nom du pouvoir. Ou l'autre nom de la norme et on ne pense que contre la norme – sauf à tristement se rêver en intellectuel organique. D'où la définition que l'excessif et insignifiant Bloy donne de toi : homme qui ne fait aucun usage de la faculté de penser. J'ajoute : qui ne peut en faire usage, sauf à se démentir. Penser, ce serait penser contre toi et rien ne t'y dispose.

Ce que tu appelles nuance n'est que du dosage, et la pensée n'est pas produite par dosages. La pensée n'est pas un père de famille ou de la nation en quête de compromis conservatoires. Elle n'avance pas par la négative comme la tienne, tout entière façonnée en réplique à ce qui te conteste. Affirmative par nature, la pensée dit cela, donc ne dit pas ceci. Elle tranche, découpe, taille, divise. Elle dérègle l'existant, le décentre, le force, le contraint. Lui fait violence. Il y a une violence de la pensée, et tu refuses la violence – refuses de la voir. Une pensée, si c'en est une, on la sent passer ; comme on sent un poing sur le crâne, ou un coup de hache dans une mer gelée, dit aussi Kafka.

Il n'y a de pensée que radicale.

Ce qu'insolemment je nomme bêtise est une production historique, le précipité chimique de ta position dominante et donc responsable, et donc raisonnable. Raisonnable, tu n'empoignes jamais le manche de la hache qui pense.

Ni celui du marteau.

Sur toute chose tu as des vues limitées, dosées.
Tu ne t'égares jamais dans les zones, pourtant peuplées d'esprits lumineux, où s'envisage la suppression de la prison. La prison, tu penses qu'elle est un mal nécessaire, fin de la réflexion. Tes dosages déterminent une pensée par oxymore. Mal nécessaire en est un, humaniser l'incarcération en est un autre, et c'est ce que tu recommandes. Mais dans une certaine mesure seulement. Il ne s'agirait pas qu'une cellule devienne plus vivable que le studio insalubre d'un immeuble de porte de la Chapelle. Il faut doser : que le passage par la case prison soit douloureux mais pas inhumain. Que la prison surveille sans punir. Que la privation des droits civiques serve à réinsérer dans la cité.

Tu ne penses pas, tu préconises. Tu écris des rapports pleins de préconisations pour les ministres. Tu ne fais pas de politique, tu fais au mieux. Tu es raisonnablement technique, tu es postpolitique.

S'agissant de l'école, tu préconises que ce creuset de l'égalité cesse de créer des inégalités. Dans le but de quoi tu préconises un peu plus d'autorité ou un peu moins ; un peu plus ou un peu moins de pédagogie, d'informatique, de numérique, de neurosciences, de cours de codage, de bienveillance, de profs, d'infirmières-psychologues, de moyens, d'autonomie, de portiques à l'entrée, de chorale à la rentrée, de Marseillaise, de grammaire, de flics, de latin, de vacances. Fin de la réflexion. Un bourgeois ne pousse pas plus avant la critique de l'école qui est un rêve de bourgeois. Qui enfonce les pauvres, ou les embourgeoise par un jeu d'ascenseur choisi comme il y a une immigration choisie.

S'agissant de l'assurance maladie : un acquis mais haro sur les abus. Préconisation : meilleure gestion, rationalisation, appel à la responsabilité des usagers.

S'agissant des indemnités chômage : nécessaires mais haro sur les abus. Préconisation : meilleure responsabilité, gestion, appel à la rationalisation des usagers.

D'Internet : garder les bons côtés, interdire les mauvais.

De la démocratie : garder les bons côtés, interdire les mauvais. Interdire les fake news, garder les vraies.

Des immigrés : pas toute la misère du monde mais prendre sa part.

De l'État : il en faut (policiers) mais pas trop (charges).

Ton juste milieu.

Et d'ailleurs le milieu est peut-être effectivement la position juste. La faiblesse de ta position libérale n'exclut pas sa pertinence.

Je ne parle pas de ta version hardcore, libertarienne, qui sape la légitimité régulatrice de l'État au point d'avoir intéressé Foucault – sans le rallier, comme certains étourdis volontaires s'amusent à le raconter. Sa teneur radicale t'en bouche l'accès, et puis tes leaders économiques ont trop besoin de la puissance publique, les GAFA trop d'intérêts communs avec Washington.

Je parle de la pensée libérale originelle. De l'opportun refus de la violence qui est son premier ressort. Saisi par la violence des guerres de religion, un Montaigne professe, sinon une parfaite neutralité éthique du pouvoir, du moins une moindre intervention des gouvernants dans la vie des gouvernés. L'anarchiste anti-libéral serait bien ingrat, et bien malhonnête à son tour, d'oublier que l'extension des droits de l'individu commence là.

Mais cette belle idée est d'emblée cousue aux aspirations de la classe commerçante en plein essor. La guerre est coûteuse en hommes, mais coûteuse aussi pour le commerce.

À moins, et c'est une objection plus nette, qu'on fasse commerce d'armes – cela arrive.

Ou qu'on use de la destruction pour récolter la manne de la reconstruction – cela s'est vu.

Au vrai, les siècles ultérieurs ont singulièrement mis à mal l'hypothèse de la concomitance entre paix et libéralisme.

Parce que la circulation des marchandises ne garantit pas plus contre la dictature (Chine) qu'elle n'immunise contre les guerres. Il arrive même qu'on en déclenche pour ouvrir des marchés ; que tu t'allies avec les plus martiaux des nazis pour tenir les foules ; que les États-Unis protègent la dynastie wahhabite en échange de pétrole à bas prix.

Parce que l'Europe ne s'est pacifiée qu'en déplaçant les fronts sur d'autres continents, aussi sûr que les deux belligérants de la guerre froide ne se sont affrontés qu'en terrain neutre et de préférence lointain.

Parce que le commerce est une guerre dont les gagnants seuls vivent en paix.

La discussion reste ouverte.

Serais-je plus ouvert que toi ? Je n'ose le prétendre.

Si l'Histoire est une insatiable productrice de bruit, de fureur et de violences à grande échelle, l'idée fukuyamienne que sa fin serait, sinon effective, du moins désirable, mérite discussion. Du point de vue de ses horreurs ininterrompues, et non plus de la condition populaire, se résigner à l'ordre bourgeois est peut-être encore le plus sage, le moins inhumain. Mieux vaut deux milliards de pauvres que les viols de masse des armées et les massacres génocidaires. Sans être le petit coin de paradis que chante son barde Alain Minc, l'Europe est une sorte d'abri relatif, de solution par dépit, qui au reste de la planète, et pour peu que cette même Europe cesse d'y mettre le chaos, peut légitimement représenter une solution par défaut.

Un moindre mal.

Un pire en mieux.

Les jours de fatigue cela s'entend.

Ta pensée faible semble forte les jours de faiblesse. Les jours d'accablement. De moindre désir.

Dans la brèche de cette fatigue, de cette lassitude de l'Histoire, tes intellectuels organiques se sont engouffrés.

Tes nouveaux philosophes, qui étaient encore moins nouveaux que philosophes, n'avaient à vendre qu'une équation rudimentaire comme une règle de deux : la démocratie libérale plutôt que le totalitarisme.

À supposer que cette pensée ait une puissance politique, elle signe de toute façon l'impuissance de la pensée, résorbée en répétitive comptabilité des crimes du communisme, du fascisme, des dictatures, du fanatisme, de Poutine, d'Erdogan, de Bachar, de Kim Jong-un, au regard desquels la violence sociale, dont ces normaliens bourgeois ont réussi à ringardiser l'analyse et du même coup leurs imposants prédécesseurs marxistes, paraît bénigne.

Le marketing de tes philosophes ou prétendus tels sera beaucoup passé par la publicité comparative : à ma gauche les millions de morts de Mao, à ma droite nos 50 000 sans-abri, quel système achetez-vous ?

Tes prétendus philosophes sont en fait des juges ; leur appareillage n'est pas conceptuel mais judiciaire. Ils n'ont besoin que d'un prétoire, de quelques témoins et quelques chefs d'accusation bien sentis pour convaincre les jurés de préférer aux maux totalitaires notre petit coin de moins pire.

Parfois le policier en toi prend la relève du juge. Journaliste audiovisuel, tes interviews sont des interrogatoires. De l'interviewé, tu attends qu'il se positionne clairement – sans nuance ? – dans le camp du bien, qu'avec audace tu préfères au camp du mal. Sa neutralité ne te contente pas ; sa neutralité cache quelque chose, cache une allégeance objective au diable. S'il a été mêlé de près ou de loin à un infréquentable, tu le cuisines pour exiger une clarification de sa situation. Projecteur de télé braqué sur lui, tu veux lui extorquer la phrase qui lui vaudra sa relaxe. La phrase serait : je condamne.

Pour échapper à cette tenaille, l'interpellé condamne. Il condamne durement la molle condamnation du terrorisme par un de ses camarades de gauche ; ou le tweet crypto-antisémite d'un cousin rappeur. Tu te détends. Tu relâches le projecteur. Tu as obtenu ce que tu voulais. Tu n'iras pas chercher plus loin. Jamais tu ne cherches plus loin. Jamais tu ne t'éloignes de ta maison qui comprend salle de gym, tribunal et commissariat.

Tu t'intéresses beaucoup au salafisme, libre à toi, chacun ses marottes, moi mon voisin collectionne les Rubik's Cube, mais quel bénéfice personnel as-tu tiré des quatre années à éplucher les livres de Tariq Ramadan pour écrire le tien ? Quelle joie pour ton cerveau, sinon la joie mauvaise de vérifier page après page leur indigence morbide ?

Un jour tu débarques à une soirée mojitos avec des cernes jusque-là. La nuit précédente, tu as regardé en boucle sur youtube un prêche d'imam qui diabolise la musique. C'est inimaginable, t'étouffes-tu. Inimaginable. Tu n'en as pas dormi.

Mais pourquoi te faire tant de mal ?

Qu'est-ce qui te fait tant de bien dans ce mal ?

Le salafiste est une plaie sans doute, mais une aubaine. Une providence. L'engrais d'un regain. Le salafiste est la preuve négative de ta civilité, de ta supériorité morale. Le fascisme historique se raréfiait, le fascisme vert te réassure. Tes philosophes organiques se sont jetés dessus comme sur une dépouille dont se nourrir. Tâche nécessaire, si l'on veut – personne n'aime trop les lapidations – mais tâche pauvre car facile. Tâche débilitante. À supposer que l'ennemi repoussoir soit militairement fort, il est conceptuellement faible. Arrimé à cette faiblesse, tu t'affaiblis. Tu joues au-dessous de ton niveau.

Tu te gâches.

Mes phrases à coups de marteau ne doivent pas t'égarer : je ne tiens pas pour absolument vraie la radicalité de gauche. J'en sais les apories, les angles morts, et ailleurs je me suis longuement échiné à en déterrer le soubassement ressentimental. Je ne la tiens pas pour vraie mais pour forte. Elle est forte parce que sa cause n'est pas irréprochable. Parce que ses objectifs sont contestables – toi tu bricoles dans l'incontestable.

Elle est forte parce qu'elle est difficile. Sa tâche historique, dit Badiou, est difficile, est impossible. Supprimer la propriété privée des moyens de production exige de déplacer des montagnes de conventions, de remuer des siècles voire des millénaires d'imprégnation. La pensée marxiste est forte parce que son adversaire est hégémonique, parce qu'il englobe jusqu'à ses contradicteurs, et souvent se les aliène.

Quant à sa ramification libertaire, elle est forte de se confronter à l'État. Adversaire de haut vol et qui m'élève. Adversaire subtil, et qui me rend subtil, parce qu'il me veut autant de bien que de mal. Parce qu'il administre la Sécu et l'armée. Parce qu'il me caresse de la main gauche pendant que la droite me bastonne. Parce qu'il est un bon et un mauvais flic. Parce qu'il me protège et m'agresse. Parce que son monopole de la violence légitime lui donne latitude de casser le cycle de la vendetta. Parce qu'on doit s'emparer de l'État pour arraisonner les possédants mais qu'on ne s'empare jamais de l'État sans en adopter l'arbitraire. Omelettes, œufs. Pour penser l'État, je dois me démener, me triturer le cerveau qui à la fin se muscle quand le tien s'atrophie.

Encore ton procès inlassable des voyous de l'axe du Mal pourrait-il t'aviver si tu les appréhendais autrement que par la morale. Si tu les prenais dans leur force.

Je laisserai pour un temps de côté la radicalité de gauche, car j'aurais l'air, t'invitant à t'y frotter pour te revigorer, de défendre ma chapelle perdue dans les bois. Prenons son pendant droitier. Prenons ce mal-là, indispensable à ton idéologie suffisante du moindre mal. Tu le traques, le trouves, le désignes à la vindicte des cools. Soit. Mais tu n'as jamais l'idée de le penser. Pour toi le djihadiste ne pense pas. Ni le suprémaciste blanc, ni le catholique anti-avortement. Ces gens sont justiciables non de la philosophie mais de la psychiatrie – tu as parlé une fois de cerveaux malades.

Leur fréquentation t'affaiblit parce que tu les vois comme des résidus folkloriques du monde pré-libéral que tu travailles à faire oublier. Tu les sous-estimes, les abêtis à ta mesure. Un type qui gueule sur un aspect du contemporain, tu l'appelles un réac. Pas un réactionnaire, un réac, et ce diminutif coupe le phénomène d'une tradition philosophique adossée à une séquence historique communément nommée Réaction. Ne reste plus qu'un individu bizarre, une curiosité, un caractère façon La Bruyère, presque rigolo quand il conchie le moderne depuis son camp retranché. Charme des derniers rôles grognards de Gabin. Bêtise touchante de l'arabophobie d'une grand-mère pied-noir. Devant

ces spécimens tu secoues la tête, atterré et attendri.

Tu ignoreras donc jusqu'au cercueil que le
courant contre-révolutionnaire pense. Qu'il
compte dans ses rangs des esprits au moins aussi
performants que le tien. Avec eux, tu aurais fort
à faire. Tel un adversaire pugnace au tennis, ils te
pousseraient à hausser ton niveau de jeu.

Il faut dire que la contre-révolution a partie
liée avec le catholicisme canonique, auquel tu
accordes la même attention distraite qu'à un poste
de télé Schneider au fond d'une cave, prêtant à
ses énoncés les plus dingues – la Révolution a
coupé le cordon entre l'Église et la France sa fille
aînée, la Révolution a livré la patrie à la franc-
maçonnerie d'inspiration protestante – le même
crédit qu'aux superstitions d'une tribu peule.

Hitler a déshonoré l'antisémitisme. Cette allégation n'est pas d'un Aryen tardif qu'un de tes
reportages triomphaux aurait tiré de sa grotte
polonaise, mais l'aura de son auteur, Bernanos, ne
fera pas non plus que tu t'y arrêtes. Cette phrase
pas si ancienne, prononcée pas si longtemps avant
la première série HBO, tu n'as pas le sang assez
froid pour l'accueillir autrement que par un rire
nerveux et incrédule. Il n'a pas pu dire ça. Il n'est
pas envisageable que l'antisémitisme ait pu être,
pour d'éminents esprits, honorable. Quel système

de croyances, quels récits longtemps dominants ont étayé cette morale cul par-dessus tête ? Tu n'iras pas chercher plus loin. Tu ne liras pas les pamphlets de Céline – à vrai dire moi non plus, mais au moins ne déguiserai-je pas cette négligence en droiture. Tu ne te documenteras pas sur le socle antisémite du vieux catholicisme français, sur son acharnement, pathologique sans doute mais coriace, contre le peuple déicide. Tu craindrais de te perdre en approchant cette zone de non bon droit.

Assurément, ton hermétisme à l'hypothèse d'un antisémitisme honorable doit être inscrit au registre de tes progrès moraux. Ceux de nos ancêtres qui lui ont prêté foi n'étaient pas bien avancés. Notre époque peut s'honorer de s'arrêter sur le « nègre » de Guerlain, qui en d'autres temps serait passé comme lettre à la poste ; ou de dénoncer les sorties homophobes d'un Bolsonaro. L'incidence cool du libéralisme a du bon, et j'irais jusqu'à supputer qu'elle pacifie les mœurs si je n'observais qu'à beaucoup elle donne envie d'en découdre. En moi, doux comme une vache après la sieste, tu fais monter parfois une grosse envie de Réaction. Devant ton féminisme d'avocat général j'avoue qu'il me vient, par moments, la stupide tentation d'abjurer le mien.

Mais ce n'est pas le propos. Mon propos est biais et inconséquent. Une lubie d'intellectuel pervers. Mon propos intellectualocentré concerne ton cerveau. Ta surdité aux énoncés antimodernes est saine moralement et malsaine pour ton intelligence. Cette indisponibilité la rabougrit. À la fin elle est hors d'usage.

Du reste quel usage en ferais-tu puisque tout est réglé, tout est consommé ? L'histoire a rendu son verdict et tu en es le vainqueur. L'élite occidentale de l'humanité est arrivée à son point de perfection, il n'y a plus qu'à la copier, il n'y a plus rien à discuter, plus d'alternative à configurer.

Dégagez d'abord une problématique, spécifiaient nos profs de philo. Pour penser il faut qu'un problème soit défini. Or pour toi il n'y a plus de problème. Significativement, ta langue managériale a remplacé problème par sujet. Dans les débats, tu abordes le sujet du chômage, le sujet des déchets nucléaires. Plus rien n'est un problème.

Sur le sujet du mariage gay, tu as aussi pu dire que tu ne comprenais pas. Tu ne comprenais pas ses contempteurs, et cette fois ta perplexité ne recélait aucun jugement. Tu ne comprenais sincèrement pas en quoi l'union de deux hommes ou de deux femmes indisposait nombre de tes concitoyens. Cette conquête du droit n'allait rien leur soustraire, alors quoi ?

Alors tu étais évidemment incapable d'inscrire l'homophobie dans le temps long du patriar- cat – tu es sans mémoire, tu ne connais que le présent, où se programment les profits futurs. Tu étais surtout incapable de saisir que les sinistres aboyeurs des manifs pour tous ne parlaient pas en leur nom, mais au nom de la société, de l'idée qu'ils s'en font. Tu n'aurais pas compris non plus la confidence tordue et dépitée que m'a faite un jour un ami écrivain de droite : je ne suis pas raciste, je n'ai plus assez d'espoir pour ça. Les réactionnaires, les antimodernes s'inquiètent de la fatalité multiculturelle au nom de la haute idée qu'ils se font de leur race, de leurs racines. Cette haute idée est une extravagance qui a fait bien des misères à bien des gens, mais elle est haute. Ces gens-là bougent encore – et toi ? Oui leur racisme est à proportion de l'espoir, certes ravageur et puéril, qu'ils placent dans leur patrie, dans leur civilisation, dans l'intégrité de l'un et de l'autre.

À rebours, je me demande si ta tolérance revendiquée n'est pas à proportion de ton déses- poir. Par désespoir j'entends ton absence d'idée directrice ; ton renoncement à en avoir une ; ton renoncement au vouloir – accumuler n'est pas vouloir – ; ton habitude impensée de n'attendre, de la vie comme d'une série télé, que son dérou- lement.

Analogiquement, il se peut que le respect dont tu te drapes soit le nom présentable de ton indifférence.

Les minorités revendiquent parfois le droit à l'indifférence, autrement dit : qu'on leur foute la paix. Cette demande adressée aux institutions, ou au crétin que ça amuse d'insulter un piéton à kippa, tu l'as prise pour toi. Cette prescription politique circonstanciée, tu l'as métabolisée en indifférence.

Dans tes poèmes sur l'autre, le métissage et autres fééries, se dévoile autant le détenteur de capital soucieux d'unir pour mieux régner, pour mieux produire, que l'individu libéral sur qui tout glisse, indifféremment. L'individu pour qui rien ne fait de différence.

À qui tout est égal.

Vois la comédie romantique au centre de laquelle tu t'es plu à mettre deux lesbiennes. Vois ta satisfaction cool à clamer dans chaque plan que ça ne change rien, que ces filles s'aiment et se déchirent comme n'importe quel couple hétéro, que c'est pareil, que c'est égal. Vois alors comme ton film m'est égal.

L'autre, le différent, mon idée première n'est pas de l'aimer, de l'adopter, de l'assimiler, de le blanchir. Mais de m'en étonner. Je veux le jauger comme un chat jauge le poisson rouge ; comme un chien renifle le cul d'un semblable, qui justement n'est pas son semblable – si l'autre a un prix c'est précisément de n'être pas semblable.

Je veux qu'un Arabe qui passe me retienne, je veux que sa tête d'Arabe m'arrête, me travaille. Je veux que ça travaille là-dedans. Et que ça bouillonne. Qu'on s'avise, s'examine, se toise, se frictionne, s'érotise.

Je ne confonds pas tolérance et indifférence. Je peux tolérer un fait humain et trouver qu'il ne va pas de soi – sinon quel mérite à le tolérer ? Je peux défendre l'homosexualité et continuer à la relever, à la questionner. Un ami homosexuel ne m'est pas égal. Moi qui ne fraye pas dans les mêmes voies, et peut-être par refoulement va savoir, par étroitesse d'esprit va savoir, par étroitesse de corps, j'escompte qu'il me raconte sa sexualité différente de la mienne. Parce qu'elle m'intrigue. Oui je suis intrigué. Est-ce étonnement de plouc ? Me vaudrait-il moquerie à ta table où le chic consiste à ne s'étonner de rien ?

Dans l'élan de l'étonnement, il me vient des drôles de pensées. Il me vient que les homosexuels forment une avant-garde de l'humanité, dont Genet serait le leader barré ; ou une armée d'avatars de reptiliens introduits dans l'espèce pour causer sa perte. Mon cerveau ne s'interdit aucune rêverie, aucune ânerie. Mon cerveau est un explorateur de jungle. Il a le courage du pionnier. Tout le contraire de moi si peu nomade, si peu courageux. Aventurier dans ma tête, qui est une galaxie.

Et la tienne ?

Chrétiennement, je voudrais croire qu'elle s'autorise les mêmes conneries. Qu'elle est beaucoup moins raisonnable que ce que tes mots laissent entendre.

Tes mots qui tout neutralisent, tout aseptisent. Tes mots tampons, tes mots cotons.

Un soir de novembre, une dizaine de mecs issus pour la plupart de la banlieue merdique et passés par la Syrie en fureur canardent des terrasses, et toi tu dis : Paris est une fête.

Blanche Gardin n'a sans doute pas tort de voir dans cette pauvre réplique un symptôme avant-coureur de ton extinction.

Sur le coup je me dis que c'est une incantation assumée. Que c'est dit comme ça, dans l'urgence, dans la peur. Passé la peur, d'autres mots plus forts suivront. La brutale montée en puissance des faits va faire monter en puissance ton verbe. C'est le moment ou jamais d'ajuster ta pensée à la violence du monde. Puisque c'est ton confort qui la bride, l'inconfort la débridera.

Occasion perdue.

Tu n'as rien trouvé de mieux à dire, à penser.

À distance égale de la politique (dire le sens de l'horreur) et du tragique (dire le non-sens de l'horreur), tu as décliné ta petite morale, joué ta petite musique sentimentale.

Entre parenthèses : tu es de plus en plus sentimental. De plus en plus fier de ta sentimentalité. Tu fais ton coming out de midinette. Tu mets en scène et applaudis une pièce éplorée sur la diaspora vietnamienne, tu karaokes au vu de tous sur J'ai encore rêvé d'elle, tu racontes tes larmes intarissables devant un mélo. Le mélo était objectivement nul, tu l'admets volontiers, mais voilà tu as pleuré, tu n'as pas réfléchi, tu n'as pas intellectualisé. La promotion du sentimental porte en creux une disqualification de l'intellect qui te dédouane d'user si peu du tien.

« Vous n'aurez pas ma haine » est le plus fort que tu aies pu formuler en novembre 2015. Leurs balles, ton altière douceur. Le fracas des kalachnikovs étouffé dans la ouate de ta classe bourgeoise. Tu es au-dessus de ça. Tu es hors du coup. Vous n'aurez pas ma haine était une déclaration d'indifférence. Une formule de non-recevoir. Elle disait au réel : tu peux tout me faire, tu ne m'ébranleras pas. « Je continuerai à vivre comme avant » fut la plus radicale de tes résolutions d'alors. Sinon ce serait leur donner raison, ajoutais-tu. Tu ne voulais pas entrer dans leur jeu.

Tu ne voulais rien entendre.

Il n'était rien arrivé.

À toi de me trouver bête. J'ignore donc que
le sujet traumatisé ne survit qu'en mettant à
distance l'événement ? Que sa survie dépend
précisément de sa capacité à continuer comme
avant ?

Un point pour toi. Thérapeutiquement parlant
tu as raison. La thérapeutique est ton domaine
d'excellence. Le réel tu ne veux pas qu'il te rentre
dedans ; tu ne veux pas le penser, tu veux en
guérir – le réparer. La réparation est une variante
bienveillante de la dissimulation.

Témoin de mon mal de dos, tu me conseilles
des soins. Tu es toujours prodigue dans ce
domaine. Toujours sous la main trois ostéos
miracles et pourquoi pas un psy. Car je soma-
tise, tu l'affirmes. J'en ai plein le dos. Au minimum un peu de méditation me ferait du bien.
Souviens-toi, sans cesse tu m'invitais à m'y
adonner, promettant qu'elle m'apaiserait. Il
t'échappait juste que je ne veux pas la paix. Je
ne veux pas me guérir du réel. Je ne veux pas
de ce bien-être devenu ton idole. Tu prends
soin de toi, tu manges léger et sain, tu arrêtes
la viande rouge moins par égard pour les bœufs

que pour tes artères, tu te mets au running, tu t'étires en mesurant ton pouls, tu es mobile, tu fais de la marche – nordique. Tu t'entretiens. Tu veux durer toujours plus. Ton avant-garde californienne investit des milliards pour recoder ton ADN, supprimer la maladie dans l'œuf, supprimer l'œuf. Tu vas vraiment finir par ne plus mourir. Ta pulsion conservatrice sera consommée.

La modernité libérale dont, volant au secours de la victoire, tu préconises l'extension, te coupe du vivant. Je ne dis pas des racines – la vieille bourgeoisie qui ne prétend pousser que par la racine dégénère à vue d'œil –, je dis du vivant. De la vie en toi.

Parlant d'âge de l'anesthésie, De Sutter raconte comment depuis deux siècles bien des protocoles, bien des lois, bien des produits, bien des pilules, tout cela rassemblé par lui sous le nom de psychopolitique, auront contribué à éteindre la vitalité, à nous désexciter. À débarrasser le sujet libéral du désir pour lui offrir le bonheur.

Dans le bonheur, il n'arrive rien. Le bonheur a pour condition et pour but qu'il n'arrive rien. Qu'il ne m'arrive rien dans la gueule : ni une balle de kalachnikov, ni un livre dévastateur, ni l'amour, ni la colère – un chirothérapeute m'avait dit : il faut travailler sur votre colère.

Dans tes dîners me frappait qu'il n'y arrivait rien. Tout était fait pour qu'ils se passent bien, qu'il ne se passe rien. La conversation était toujours nourrie, les verres toujours pleins de bon vin, on ne manquait de rien, c'était très réussi, c'était toujours raté. C'était raté parce que la vie avait été laissée dans le vestibule, coincée entre deux parapluies. La vie c'est-à-dire le conflit. Le conflit c'est-à-dire ce truc simple qui acte, avec plus ou moins d'énergie, que je ne suis pas toi et que tu n'es pas moi.

Le conflit n'était pas au programme, le programme était de coaguler je et tu dans un nous. Par ces soirées nous mettions dans un pot commun nos capitaux symboliques, escomptant qu'ils s'augmentent mutuellement. Nous étions là pour nous additionner, non pour nous diviser. Personne n'allait embêter personne. Si quelqu'un cherchait la merde, il ne la trouverait pas. Il n'y avait de merde nulle part. C'était tout propre.

La technologie dont tu salues le génie lucratif achèvera de te dématérialiser, de t'affranchir de la matière, de sa violence. Et au passage de la tienne violence. Les boutiquiers d'antan portaient sur leur gueule la sauvagerie de leur négoce, aujourd'hui tes machines consomment la scission entre tes actes et leurs conséquences, entre la création brutale de tes richesses et le corps pacifique

que cette richesse permet et modèle. Toujours mieux peux-tu dominer sans en avoir l'air, opprimer sans voir l'oppression, accaparer sans croiser ceux que tu dépossèdes. Avec toujours plus de bonne foi peux-tu t'imaginer que le monde que ton capital configure est sans dégâts ni déchets.

Tu peux être cool : d'autres font à ta place le boulot sale.

Jobs peut se pointer en col roulé et me parler en ami : ayant délégué la guerre, il n'a pas à se battre, ni à élever la voix. Il a relégué dans le hors-champ de son espace lounge les usines où de petites mains maculées fabriquent ses marchandises designées, épurées, stérilisées.

Je manipule présentement le joyau de cette industrie invisible. Les touches obtempèrent en silence aux commandements de mes doigts fins. L'écran baigne de sa douce lumière blanche mon visage lisse et le dossier du fauteuil que tu imposes dans tous les intérieurs sécurisés du monde. J'ignore où il a été fabriqué et par quelles voies acheminé. Je ne chercherai pas l'information pourtant à portée de clic. Je n'ai objectivement aucune pensée pour ses producteurs effectifs. Rien de leur réel ne pénètre dans mon salon. De leur réel, je suis protégé, exonéré.

À la fin, je ne suis pas beaucoup plus vivant que toi. Pas moins libéral. Sinon libéral, libéralisé.

Baigné d'air tempéré. Parlant cool. Portant jeans. M'activant. Mobile. Glissant sur les mêmes parquets. Porté par les mêmes flux. Prenant des trains insonorisés. Roulant toujours et n'amassant rien. Emporté par un fleuve qui ne charrie rien, et alors il n'existe qu'une pierre à quoi s'accrocher pour freiner cette descente à vide, et c'est la pensée. Car une pensée est matérielle. Une pensée est un énoncé taillé au cutter dans la matière brute du langage – hache, glace. Le corps solide de ma pensée est seul à même d'obstruer mon devenir liquide.

La pensée est violente parce qu'elle capte le réel qui est violent.

Ta carence en sens tragique te rend sans doute cette assertion inaudible, mais sache que le réel est violent. Le réel s'éprouve à la violence qu'il me fait.

Ton réel évidé, c'est le réel vidé de sa substance, de sa violence.

Mon mode libéral m'a rendu craintif de la violence du réel. Si le surhomme se reconnaît à la quantité de réel qu'il peut encaisser, alors je suis autant que toi un spécimen du dernier homme décrit par Nietzsche.

Je suis en bout de chaîne, en fin de race, un rien m'effraie. Je ne fais pas le fier devant la violence. Au Bataclan j'aurais fait le mort. Sauvé, j'aurais pleuré ma mère et à l'heure qu'il est j'en serais encore tout pantelant.

Devant la violence, je cède comme chacun à une panique indigne.

Ma seule dignité est de la penser.

Je ne suis pas courageux, mais je peux au moins exercer ce moindre courage de penser ce qui vient. À moi non plus il n'arrive rien, mais au moins puis-je faire qu'il m'arrive de penser.

Pensez hors de la boîte, enjoignent en globish tes managers. Il s'agirait que pour une fois tu le fasses vraiment. Car il n'y a de pensée qu'hors du cadre, c'est-à-dire pour toi hors de ta classe. Et de préférence contre elle.

Mais un marxiste se dédirait en tenant pour possible qu'une pensée n'émane pas d'une position sociale.

Moi-même ai-je une seule seconde ici pensé hors de mes clous ?

Même pervers, même séparé, j'occupe une position, et je n'ai rien dit ici qui l'ébranle. À quelques nuances autocritiques près, j'ai loué la radicalité, ma radicalité, et célébré la pensée qui est mon gagne-pain. En la valorisant, j'en conforte la valeur sur le marché, j'en fais monter la cote, et du même coup j'assure mes positions – boursières.

Je te demande un bond auquel je suis inapte. Penser contre soi est une gageure.

On irait plus vite à changer de soi. Je veux dire :
changer de position. Étant établi qu'on pense
toujours depuis sa case sociologique, s'extraire
de sa pensée suppose de s'extraire de sa case.

Cela se peut.

Les transfuges de classe existent.

Hélas pour toi, la transhumance est ascension-
nelle à presque tous les coups : prolos élevés par
les diplômes, maçon passé chef de chantier, classe
moyenne embourgeoisée par les avancements
de carrière, fille d'agriculteurs promue au rang
tertiaire. C'est que le bas classé est tout disposé à
transhumer. Qui possède peu a peu de remords
à délaisser le peu qu'il a.

À proportion inverse, tu es rarement enclin
à descendre de ta position supérieure. À moins
qu'une fée te convainque qu'elle n'est pas
enviable ; qu'elle te limite. Étant une piètre fée,
je ne t'en ai pas convaincu. Je ne t'ai convaincu
de rien – et réciproquement.

À l'heure où je clos cette apostrophe, tu repars
en campagne, équipé des mêmes mots, des mêmes
fables. Avec à nouveau pour seul argument ton
alternative ultimatum. Les populistes ou nous.
Les populistes ou les progressistes. Le fermé ou
l'ouvert. Le mauvais chasseur qui n'accueille pas
l'Aquarius, ou le bon chasseur qui n'accueille pas
l'Aquarius.

À nouveau je te déteste. À nouveau je m'abstiendrai.

Je suis incorrigible, tu es indéplaçable.

Je suis irresponsable, tu ne fuiras pas tes responsabilités.

Tu ne fuiras pas ta maison.

Tu te trouves bien comme tu es.

Tu te crois trop bien loti pour renoncer à ton lot. Tes biens sont trop nombreux. Tes réseaux trop solides. Ton capital trop abondé. Too big to fail, dit-on des banques. Les banques sont garanties, la bourgeoisie aussi. Il entre dans la définition de la position bourgeoise d'être garantie. Bourgeois celui qui a les ressources de sa pérennité.

Tu n'auras pas la chance de chuter.

Sauf événement majeur.

Ta condition dématérialisée en compromet l'augure. Un milieu protégé l'est avant tout de l'événement. C'est rarement à toi qu'apparaît la Vierge. Ce n'est pas dans une cuisine américaine mais dans l'étable d'un charpentier qu'advient le divin enfant.

Tu ne seras pas gracié.

Tu ne partiras pas courir nu sur l'Etna, comme le patron d'usine de Pasolini.

Le seul événement à toi accessible est le deuil, ou quelque autre drame intime, séparation douloureuse, mère maltraitante, etc. C'est pourquoi ta littérature est surtout faite de ce bois traumatique. Il te faut ramasser de ce bois pour écrire un livre. Heureusement, ta vaste propriété est pleine de fourrés, ta maison pleine de recoins où moisissent des secrets honteux ou poignants. Pleine de petites sœurs mortes en bas âge et de pères incestueux qui fourniront à tes livres une providentielle matière à psychologie spéculative.

Un deuil, un drame peuvent casser la tautologie de l'idéologie. Un deuil, un drame, ouvrent une voie vers la pensée.

Mais faut-il te le souhaiter ? Es-tu si éteint qu'il faille te souhaiter un malheur pour te rallumer ?

Assurément tu m'octroieras encore longtemps la joie d'observer ta parfaite coïncidence à toi-même.

Oui la joie.

T'observer m'envahit, je l'avoue, d'une joie trouble. Je suis bien inconstant : alternativement je déteste et adore vérifier que tu persistes dans ton être bourgeois. Je veux que tu disparaisses et que tu dures.

Ta disparition ferait un gros vide dans mon quotidien. Assurément ma vitalité a besoin de toi, de ton adversité. Nous autres marxistes ou paramarxistes nous délectons de nommer la violence constitutive des rapports sociaux, et d'en inférer que la violence seule peut les subvertir. La pensée radicale exsude un goût pour le heurt, corrélée peut-être à un goût pour la matière vivante née du heurt des atomes. Le marxisme est un vitalisme.

Au fond, mon aspiration à une société sans classes est incertaine. J'y œuvrerai de bon cœur si on me garantit que sur son sol repoussent des inégalités, des contradictions, des tensions. Je souhaite le communisme à la stricte condition qu'il n'aboutisse pas. Je veux l'association des producteurs autonomes s'ils finissent par s'engueuler, et qu'à l'infini se reconstituent des rapports de force. Que toujours la matière se rappelle à eux et les maintienne en vie.

Ma jubilation à vérifier ta coïncidence à toi tient aussi de ma libido d'intellectuel. Celui qui se pique de penser n'aime rien tant qu'accueillir les preuves de sa pertinence. Si la crise systémique que j'ai annoncée se réalise, le déplaisir devant ses effets dramatiques le cède à ma joie d'avoir eu raison. Joie de saisir, joie de capter. Gai savoir. Égal à toi-même, émettant les signes dont j'ai savamment établi qu'ils te caractérisent, tu m'offres la satisfaction narcissique d'avoir vu juste.

C'est la perversité propre à la pensée structurelle, d'aimer voir opérer la structure qu'elle déconstruit ; d'aimer voir se tisser la toile dont elle entend desserrer l'emprise. Et de finir par la tisser en la nommant – alors sa captation est une capture, sa saisie un piège. Joie tragique de Spinoza devant la mouche prise dans la toile de l'araignée. Joie d'observer que le monde matériel est une machine logique, aux lois de laquelle les humains ne sont pas moins assujettis que d'autres créatures. Joie vitaliste à nouveau, puisqu'alors démonstration est faite que notre espèce participe encore un peu du vivant.

Or je ne suis pas complètement pervers. J'aime aussi, certains jours, que la mouche échappe à la toile, prenant congé de l'araignée d'un zézaiement narquois. Joie qu'une créature dissemble de soi, s'écarte de son programme biologique, court-circuite son destin social. Joie devant un plombier féru de Schoenberg, devant un prof de gauche auditeur de RMC. Devant toi dans le cortège de tête des manifs contre la loi travail – mais j'ai dû confondre. Joie fraternelle, s'il apparaissait, le temps d'un geste, d'une décision, d'un jugement esthétique, d'une coucherie, d'un vote si tu y tiens, qu'à l'inverse de ce que je me plais et me déplais à affirmer tu n'es pas réductible à ta classe. Que tu t'excèdes, te débordes par les côtés, t'échappes. Que l'espace d'une seconde une songerie inédite dérègle l'accablante régularité de tes opinions.

Rien qu'une seconde.

Rien qu'une seconde est beaucoup demander.

Car une seconde suffit au couteau retourné contre soi pour atteindre le cœur. Tu ne t'en remettrais pas. Tes idéologèmes sont les piliers d'un édifice, qu'un seul s'écroule et le château suit.

Ta clé de voûte, c'est le mérite. Tu ne te retourneras pas contre le mérite. Le mérite ouvre une brèche de possible dans la structure, un espace pour ta liberté chérie, une marge d'initiative individuelle. Si l'initiative libre existe, un pauvre peut monter en grade en usant méritoirement de sa liberté. Si la structure ne fait pas tout, tu aurais pu échouer. Il n'était pas écrit que tu gagnes. Donc tu peux en partie t'imputer ta victoire – bourgeois des Lumières, tu ne saurais envisager qu'il n'y a pas plus de mérite à être talentueux qu'à être héritier, que dans les deux cas l'individu n'y est pour rien et Dieu pour tout.

Poignarder le mérite ce serait t'interdire d'être fier de toi. N'y comptons pas.

Resterait l'ambition a minima, non de penser hors de ta classe, ce à quoi je ne parviens moi-même qu'au prix de rares escapades expérimentales, mais de penser ta classe.

La penser n'aide pas à s'en libérer, comme le laisse espérer certaine école critique heureuse ainsi de s'imaginer utile. Se savoir sujet à l'alcoolisme ne fait pas renoncer au pastis. Mais la reconnaissance de la pathologie est un premier pas, une première joie. Ivre de ta classe, tu peux commencer par identifier tes marqueurs, lister tes réflexes, établir des corrélations plus ou moins directes entre tes opinions et tes intérêts.

Tiens par exemple tu peux commencer par entériner les pages qui s'achèvent, passant outre l'agacement qu'elles t'ont procuré. Commencer par dire : tu, c'est moi.

Tu ne le diras pas.

Tu nieras. Ta classe est fondée sur cette négation, sur l'invisibilisation du rapport social qui la produit.

C'est ainsi qu'en te niant tu t'accuseras. Tu accuseras ton trait principal qui est de nier.

Pour le coup j'aimerais me tromper. J'aimerais que tu me fasses mentir en te reconnaissant dans ce tu.

Fais-moi mentir.

Donne tort à ce livre en le validant.

Composition réalisée par Belle Page

Cet ouvrage a été imprimé en France par
CPI
pour le compte des Éditions Fayard
en février 2019

Dépôt légal : janvier 2019
N° d'édition : 21-0223-0/08 - N° d'impression : 3032999